새롭게 열리는 설악광역권 시대!

설악권 100년 미래,
박상진이 함께 만들어 갑니다.

이제는 박상진입니다

인피니티컨설팅

그날이 오기를...

민생과 희망, 그리고 미래

척박한 땅에서 한 걸음 더 나아가기 위해 함께 활동하고
투쟁해 온 분들과,

대한민국과 설악권의 진정한 발전을 마음속 깊은 곳에서
진실하게 갈망하는 모든 분들께 드립니다.

들어가며

저는 2019년 9월 1일 24년간의 국회사무처 공직 생활을 뒤로하고 더불어민주당에 입당하여 2022년 7월 더불어민주당 속초·인제·고성·양양 지역위원장으로 선출되었습니다. 저는 강원 고성 농부의 아들로 태어나 초등학교를 고성에서, 중학교 및 고등학교를 속초에서 다니는 등 설악금강권에서 태어나 성장해 왔습니다. 저를 돌아보며 설악권의 과거와 현재의 삶에 대해 감사하고 있습니다. 지금도 변함없이 설악권의 친구들, 이웃들, 친인척들과 교류하면서 서로에게 힘과 위로를 주기 위해 노력하고 있습니다.

저는 설악권과 사회의 감사에 보답하는 길은 사회 환원을 통한 국가와 지역의 발전이라는 오랜 꿈을 실현하기 위해 입법고시에 도전했고 1995년 국회에서 첫 공직을 시작하였습니다. 국회에서 다양한 경험과 전문성을 통해 500조원이 넘는 국가 모든 분야의 예산을 심의했고 국가재정의 설계도 해 보았습니다. 더 나아가 국민 생활과 직접 연관되는 입법정책도 적극적으로 추진한 바 있습니다.

제가 살고 있는 속초·인제·고성·양양 지역은 많은 천혜의 관광자원을 가지고 있어 발전 가능성이 높지만, 인구는 감소하고 희망이 사라져 가고 있습니다. 속초·인제·고성·양양의 주민들이 국회의원 선거에서 국민의힘의 손을 계속 들어 주었음에도 우리를 대표하는 국회의원들이 이뤄낸 큰 성과는 찾아볼 수 없습니다.

저 박상진은 과거로 후진만 거듭하고 있는 속초·인제·고성·양양을 희망찬 미래로 전진시켜 나가겠습니다. 속인고양의 100년 미래를 새로운 차원에서 준비하고, 속인고양의 새로운 변화와 도약을 통해 속인고양을 풍요롭고 알찬 지역으로 발전시키는 한편, 한반도 번영의 시대를 착실히 준비하면서 속인고양 주민들의 삶을 획기적으로 바꿔내고 싶습니다.

저 박상진은 '새롭게 열리는 설악광역권 시대'에 더불어민주당과 함께 내년 총선 승리를 이끌어 속초·인제·고성·양양의 미래 운명을 바꾸며, 새로운 발전의 이정표를 세우는 진정한 일꾼이 되고자 합니다.

저 박상진은 지역민들의 어려움을 직접 듣고 지역의 현안부터 챙기는 실질적인 책임 정치를 구현해 나가겠습니다. "우리 지역에 필요한 현안을 먼저 해결하고 지역민과 소통을 가장 우선시하는 진정으로 충직한 일꾼"이 되겠습니다. "안정되고 품격 있는 더 나은 삶"을 영위할 수 있도록 우리 지역 구석구석 사각지대 없이 온기와 생기를 불어넣는 일꾼이 돼서 우리 지역의 민생을 가장 우선시하는 생활 정치를 꼭 실현해 나가겠습니다.

아무리 두꺼운 벽, 절대 깨지지 않을 듯한 현실의 벽도 우리 모두 함께 힘을 모아간다면 미래를 여는 문으로 바꿔낼 수 있습니다. 변할 수 없는 지역 사랑의 진정성을 가진 준비된 일꾼 박상진이 지역민과 함께 속초·인제·고성·양양의 미래를 바꾸겠습니다.

함께 해 주십시오. 진실하고 성실한 일 잘하는 박상진이 제대로 유능하게 속초·인제·고성·양양의 100년 미래를 바꾸어 나가는 첫 번째 국회의원이 되겠습니다. 박상진에게 기회를 주십시오. 이제는 박상진입니다! 감사합니다.

2023년 11월 30일

어려운 여정을 굳은 의지로 함께하신 모든 분들 지음

차 례

2024 대입 수능

설악의 꿈을 응원합니다!

더불어민주당 강원특별자치도당
속초·인제·고성·양양
지역위원장 **박상진**

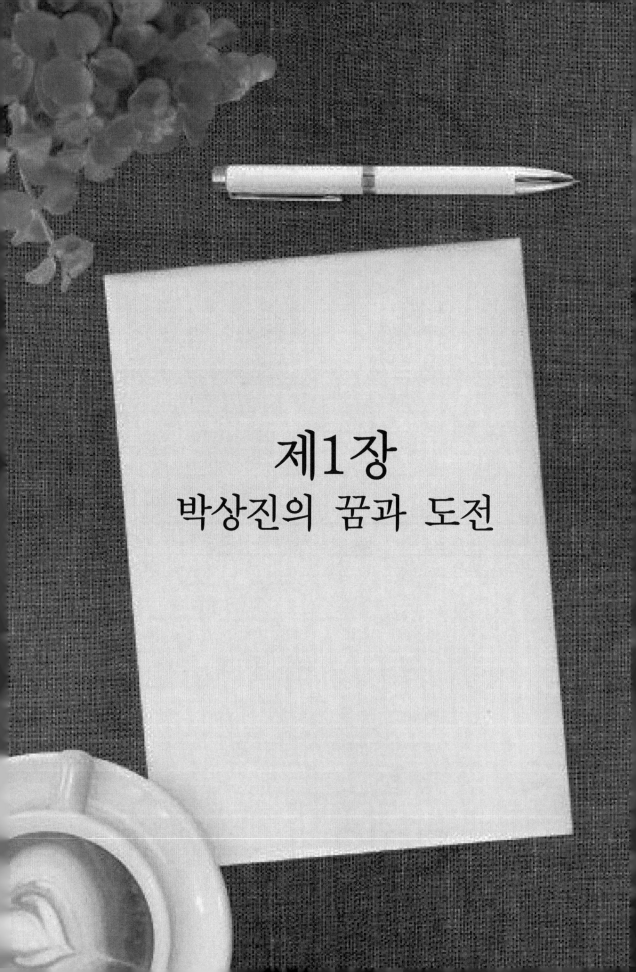

제1장
박상진의 꿈과 도전

01

왜! 박상진인가?

저는 강원도 고성에서 태어나 속초에서 학창 시절을 보내고 늘 지역과 함께 해온 설악권의 아들입니다. 고성의 아름다운 자연과 속초의 활기찬 도시를 보고 자라면서, 지역을 사랑하고 지역 발전을 위해서 노력해 왔습니다.

평생 고향 발전을 꿈꿔온 '준비된 사람'

어린 시절 아버지를 여의고 어려운 환경 속에서도 열심히 공부하여 고시에 합격했습니다. 공직 생활 동안에는 '수불석권(손에서 책을 놓지 않는다)'의 마음으로 서울대 도시계획학 석사, 미국 인디애나대 로스쿨 법학 석사, 미국 뉴욕주립대 경제학 석사, 단국대 도시 및 지역계획학 박사까지 마쳤습니다. 그동안 공부하며 배운 것들을 지역 발전을 위해 제 모든 역량을 쏟아 내는 것이 제 꿈입니다.

국회를 가장 잘 아는 '입법·경제 전문가'

1995년 제13회 입법고시로 국회사무처에서 근무하였습니다. 기재위, 예결위, 정무위 전문위원 등 국회사무처의 주요 요직에서 입법과 예산 관련 업무를 맡았고, 국회 특별위원회 수석전문위원(1급 차관보급)으로 국회 운영과 중앙정치 현장을 직접 경험하였습니다. 정치, 경제, 입법, 행정, 사회, 문화, 사람 등 그 누구보다 국가와 국민과 지역 발전을 위해 잘할 수 있는 사람입니다.

지역 발전에 필요한 다양한 인맥과 소통력

지역 사람들은 박상진을 '소통달인'이라고 부릅니다. 진정성 있는 자세와 친근감 있는 태도로 소통력을 인정받아 지역은 물론 중앙정부와 정치권에도 폭넓은 인맥을 형성하고 있습니다. 또한 의회 외교 활동과 외교관으로 일하면서 국가 간의 소통 창구로서 역할을 하며 더욱더 넓은 인맥과 시야를 넓혔습니다.

위기의 지역을 구할 일 잘하는 '능력 있는 일꾼'

24년간 국회사무처의 요직을 두루 거치며 국회 고성연수원 유치, 속초 물가뭄 예산 사업, 고성 해중경관 사업, 속초세관 및 양양경찰서 신설 등 예산확보를 통해 지역 현안을 해결하고 지역 발전을 위한 일들을 세심하게 챙겼습니다. 특히 국회 예결위 전문위원 시절에는 2018평창동계올림픽이 성황리에 마칠 수 있도록 557억의 예산을 증액시켜 성공적인 올림픽으로 거듭날 수 있도록 힘을 보태었습니다. 또한, 국회사무처 명예퇴직 이후 그동안의 전문적인 금융경제 능력을 인정받아 예금보험공사 상임이사로 재직하며 경영인으로서의 자질과 능력도 쌓은 바 있습니다.

봉사와 헌신, 따뜻한 '인간 난로'

어릴적 친구들이 불러준 별명이 '난로'였습니다. 홀어머니 슬하에서 자라 그런지 어려운 사람을 보면 그냥 지나치지 못합니다. 또한 의협심이 강해 불의를 보면 참지 못합니다. 지역의 어려운 이웃을 위해 시간이 나면 틈틈이 봉사활동을 해오고 있습니다. 대한민국 국민이라면 그 누구도 소외받지 말아야 합니다. 우리 사회의 어려운 이웃과 사회적 약자를 위한 일에는 더 많은 노력을 기울여야 합니다.

촛불혁명, 정치인 박상진의 탄생

어린 시절부터 국민과 지역 발전을 위해 내가 할 수 있는 역할이 무엇인가에 대해 수많은 고민을 해왔습니다. 그러던 와중 2016년 1,700만 국민의 힘으로 이룬 역사적인 '촛불혁명'이 도화선이 되어 국민 곁에서 국민을 위한 정치인 박상진이 되고자 결심하게 되었습니다. 24년간의 공직 생활을 중간에 뒤로하고 처음 나간 21대 국회의원 선거에서 준비가 다소 부족했던 나머지 당내 경선에서 아쉽게 패배하였습니다. 하지만 좌절하지 않았습니다.

21대 총선에서는 '강원도 권역 선대위 부위원장', '속초·인제·고성·양양 상임 공동선대위원장'을 맡아 민주당의 총선 승리에 일조했고, 정말 안타까웠던 20대 대선에서는 이재명 대통령 후보 대전환 선대위 균형발전위 공동위원장, 혁신적재정금융입법특보단장, 총괄특보단 강원도특보단장을 맡았습니다. 제8회 지방선거에서는 강원도지사 후보 정책단 공동위원장을 맡아 정책 공약 제안 및 자문을 하였고, 자원봉사단을 조직하였으며, 유세를 지원하는 등 '현장 정치'의 경험을 쌓는 소중한 시간을 보낼 수 있었습니다.

대한민국의 위기, 속초·인제·고성·양양의 위기 그리고 극복

대한민국은 지금 고물가, 고환율, 고금리 등 3고 파동과 주가 급락, 부동산 침체 등 나라 안팎에서 위기에 처해 있습니다. 이로 인해 서민들의 고통은 갈수록 심각해지고 있습니다. 윤석열 정부는 아무런 대책이 없습니다. 집권 여당은 오로지 권력투쟁에만 매몰되어 민생은 안중에도 없습니다. 정권교체 1년 6개월 만에 대한민국은 나락으로 가고 있습니다. 대통령이라는 한 명의 공직자가 얼마나 '나쁜 변화'를 만들 수 있는지 보여주고 있습니다.

지역은 기득권 세력들의 잘못된 행태와 운영에 불만이 한 가득입니다. 이제, 민주당의 가치를 바로 세우고, 능력과 경쟁력을 갖춘 인물이 설악권의 국회의원이 되어야만 국가와 지역의 위기를 극복해 나갈 수 있습니다. 저 박상진이 앞장서 이 위기를 극복해 나가겠습니다.

승리하는 속초·인제·고성·양양! 이제는 박상진!

다시 시작입니다. 우리는 다시 힘을 합쳐야 합니다. 2024년 총선에서 다시 한번 승리하여 정권교체를 위한 교두보를 마련해야 합니다. 저 박상진이 담대한 희망을 품고 이기고 승리하는 지역을 만들겠습니다.

'유일한 필승 카드' 저 박상진이 속인고양의 새로운 역사를 쓰겠습니다. 저 박상진, 고향 속초·인제·고성·양양의 발전을 위해 쉴 없이 뛰고 또 뛰겠습니다.

박상진에게 기회를 허락해 주십시요. 이제는 박상진입니다!

02
박상진은 누구인가?

예산·경제 및 입법 분야 전문가를 목표로 열심히 공부했습니다

저는 강원 고성에서 출생하여 천진초교, 속초중, 속초고와 단국대 및 서울시립대를 졸업하고, 서울대 환경대학원에서 도시계획학 석사, 미국 인디애나로스쿨(블루밍턴)에서 법학석사(LL.M), 미국 뉴욕주립대(올바니)에서 경제학석사를 각각 받았고, 단국대에서 도시 및 지역계획학 박사 학위를 취득하였습니다.

국회 주요 보직을 거치면서 경험을 쌓고 실력을 인정받았습니다.

국회 재정경제위원회 입법조사관, 국회사무처 국제협력과장·의전과장·의안과장(3급), 국회예산정책처 행정사업평가팀장, 외교부 주중한국대사관 공사참사관, 국회 정무위원회 전문위원(2급), 국회 예산결산특별위원회 전문위원(2급), 국회 기획재정위원회 전문위원(2급), 국회 특위 차관보급 수석전문위원(1급) 등 주요 보직을 거치면서 주로 금융·예산·재정·조세·도시계획 등 경제 분야의 전문가로 일해 왔습니다.

평창동계올림픽의 성공적 개최와 지역 현안 해결을 적극 지원했습니다

저는 예산·입법 전문가로서 500조원에 이르는 국가 예산을 심의하고 국가재정의 설계에 참여해 왔습니다. 24년간의 공직 생활을 통해 우리 국가 및 강원도와 속인고양을 위해 많은 기여를 해왔다고 자부합니다. 가깝게는 지난 2018년 평창동계올림픽의 개최를 계기로 지원 예산을 획기적으로 증액시키는 데 기여하여 올림픽을 성공적으로 치르게 함과 동시에 강원도 발전에 큰 밑거름이 되었다고 자부합니다. 특히 국회 고성 연수원의 설악권 유치 기여는 물론 수많은 예산사업을 성사시켜 내는 데도 저의 역할을 아끼지 않아 왔습니다. 이처럼 저는 앞으로도 국가 및 강원도와 속인고양의 발전을 위해서 어떤 분야든 저의 경험과 다양한 네트워크를 살려 모든 것을 바치겠습니다.

지난 24년간 국회에서 근무하면서 가장 보람 있고 기억에 남는 업무실적

국회 재정경제위원회 입법조사관으로 근무하면서 공적자금 투입을 통해 우리은행 및 신협중앙회 등 금융기관의 회생을 지원하여 1997년부터 시작된 IMF 외환 및 금융 위기를 극복하는 데 기여하였습니다. 이와 더불어 외자 유치 등을 위한 경제자유구역 관련법 제정, 장기모기지론 도입을 통한 서민 주택 구입을 지원하기 위한 주택금융공사법 제정, 5대 퇴출 금융기관의 임직원을 위한 지원법 제정에 적극적·주도적으로 업무를 수행하였습니다.

국회사무처 국제국 국제협력과장, 구주 과장, 의전과장, 의회 외교 정책과장으로 근무하면서 '의회 외교'라는 용어의 전면적인 사용을 통해 의회 외교가 국가 외교의 한 축이라는 개념을 정착시키고, 국제국 조직을 외교전문 조직으로 발전시키면서 의회 외교가 국익의 관점에서 실질적인 기여가 가능하도록 하였습니다. 국회 예결위 및 기획 재정위 전문위원으로 근무하면서 정부 예결산 제도의 개선 및 효율화와 정부 예산을 통한 국가와 지역의 건전한 발전에 기여하였고, 세법 개정을 통해 소득재분배의 개선 과 조세감면 등을 통해 중소기업 및 소상공인 등에 대한 세제지원을 강화하는 데 역할을 하였습니다.

지역공헌에 보람 있고 기억에 남는 업적

공적자금 투입의 일환으로 강원도 속초 신협에 50억원을 지원하여 지역 서민금융의 구사회생을 지원하였고, 속초세관 및 속초보호관찰소 신축 예산을 확보하도록 기여하였습니다. 국회 고성연수원 부지 선정 및 진입도로 개설과 원활한 개원식 및 지역인재 의무적 채용 등을 지역 친화적으로 성공리에 이루어 국회 고성연수원의 성공적인 안착과 지역 기여에 실질적인 역할을 하였습니다.

동서고속철도 확정을 위한 지역주민의 열망을 관련 기관에 전달하였고, 오색케이블카사업 지원(2017)을 위한 실질적인 해결 방안 등을 제시하는 등 실체적인 접근을 지원하였다. 그리고 2018년 평창올림픽예산 557억원을 국회에서 추가로 확보하도록 함으로써 평화올림픽을 통한 남북 정상 간 교류와 평창 올림픽의 파급효과가 국가와 강원도에 깊숙이 퍼지도록 기여하였습니다.

속초 물 부족 해결을 위한 속초 상수도 현대화 사업 예산, 쌍천댐 예산 등의 확보에 노력하였으며, 양양경찰서 신설을 위해 양양 현지 출장을 실시하고, 국회 기재위에서 이에 대한 예산 반영에 크게 노력하였으며, 실향민 축제 경비의 국비 전환, 고성 해중경관 사업 예산확보 등에도 노력하는 한편, 고성 산불 피해 예산 반영을 위해 예산 증액 확보 절차 안내, 예산 요구 대상자 접촉 방법 및 시기 등을 알려주고, 기재부 예산실 및 강원도와의 예산 증액 협의를 진행하여 산불 지원 예산확보에 기여하였습니다.

지역 기여와 관련된 표창 수상

2017.03 재경속초고동문산악회 회원 일동 감사패(산악회 발전 및 소통에 기여), 2017.10 강원도 고성군수 감사패(국회고성연수원 개원 및 진입도로 개설 협조 감사), 2017.12 자랑스러운 속고인상 수상(재경속초고등학교동문회장 수여), 2018.01 국회고성연수원장 감사패(연수원 유치, 성공적인 개원 협조 감사), 2018.01 강원공직자유공감사패 수상(강원도민일보 수여), 2019.01 최문순 강원도지사 감사패(속초시민부회장으로서 시민회 발전에 기여) 등을 수여 받았다.

또한 헌법학회 부회장(2017), 국회 한중미래발전연구회 회장, 대한건축학회 회원, 국무총리실 소속 경제·인문사회연구회 국가정책연구 실적 평가위원 등으로 활동하면서 "학자적 관료"를 지향해 왔습니다. 이를 위한 기초활동인 저서와 연구로는 《부동산 공법》(부연사, 2001, 공저), 《지역계획론》(보성각, 2009, 공저), 《나의 고향 그리고 우리들의 산행과 동행》(좋은땅, 2017,공저),『부동산 간접 투자 상품시장 활성화 및 경제적 파급효과(국토연구원 연구 참여)』,『강원도 지역개발계획 수립(국토연구원 연구 참여)』등 다수가 있습니다.

03

박상진이 꿈꾸는 국회 의정활동 계획

1. 개혁 입법을 완수하겠습니다

21대 국회에서 결실을 맺지 못한 수많은 개혁입법 과제를 통과시켜 나가겠습니다. 무엇보다 완전한 지방자치 완성을 위한 ▲〈국세와 지방세를 조정하는 개혁 입법〉을 추진하겠습니다. 이를 통해 만성적인 지역 불균형을 해소하고 우리 정치의 지역주의를 극복해 나가는데 초석이 되고자 합니다.

수많은 개혁 입법과제 중 ▲〈국회의원의 특권을 폐지하는 법률〉을 발의하여 국회의원이 국민의 옆에 서서 일을 할 수 있도록 하겠습니다. 특히 무소불위의 권력을 휘두르는 ▲〈검찰, 경찰〉에 대한 견제 장치를 강화하는 〈부패방지법〉, 공직자들의 재산등록 공개 과정에서의 ▲ 직계존비속 고지 거부 폐지 등을 골자로 한 〈공직자윤리법〉개정도 추진해 나가겠습니다. 정의롭고 공정한 대한민국으로 탈바꿈시켜 나가고자 개혁 입법 과제를 충실하게 추진해 나가겠습니다.

2. 경제 개혁 과제를 과감히 추진해 내겠습니다

우리 국민 모두가 원하는 것은 경제적으로 안정된 삶입니다. 국가의 재정을 적극적으로 확장 지출함으로써 일자리를 늘리고 경제의 선순환을 만들어 내수경제의 힘을 키우겠습니다. 또한 대기업 재벌과 중소기업의 상생적 모델을 만들고 혁신성장의 모델을 만들어 냄으로써 제조업 르네상스를 이끌기 위해 노력하겠습니다.

그러나 아직까지 해결되지 않는 문제가 있습니다. 사회적 부의 불평등 문제입니다. 대기업은 700조원이나 되는 사회유보금을 쌓아놓고 있지만 이 자금은 생산적 투자에 사용되지 않고 있습니다. 저 박상진은 경제금융전문가로서 사회적 경제 불평등의 과제를 해결하기 위해 먼저 ▲〈재벌 지배구조 개선 및 총수 일가의 사익 추구 행위 규제를 위한 상법, 공정거래법〉 제개정에 앞장서 나갈 것입니다. 이와 함께 ▲ 〈대기업의 중소기업 적합 업종 진출 규제 입법〉 등과 같은 대기업과 중소기업이 상생할 수 있는 제도적 입법을 추진해 나갈 예정입니다.

또한 ▲ 〈사회적경제기본법〉 제정을 적극 추진하여 양극화 해소, 양질의 일자리 창출과 사회적 서비스 제공과 사회적인 가치의 실현을 통한 국민경제 발전에 이바지하고자 합니다. 그리고 ▲〈청년고용기본법등〉을 제정하여 청년의 일자리를 획기적으로 늘리고, 청년에게 양질의 일자리를 제공하게 함으로써 경제적인 소득을 증대시키는 한편, 미취업으로 인한 결혼과 출생 등의 문제를 완화하여 인구구조 변화 등에 선제적으로 대응하고자 합니다.

3. 속인고양 발전과 통일시대를 준비하는 과제를 반드시 실현하겠습니다

속인고양 지역은 〈한반도 평화 번영 시대〉가 현실화되는 순간 대한민국에서 가장 주목받는 지역이 될 것입니다. 속인고양은 TKR과 TSR, TCR이 연결되는 출발점이 될 것입니다. 즉 한반도 평화 번영 시대의 거점지역이 되는 것입니다. 저 박상진은 오래전부터 〈한반도 통일〉과 〈한반도 평화 번영 시대〉를 대비한 공부를 해왔습니다. 고성에 국회연수원을 유치하고 이 공간을 남북 연합 시대를 대비한 남북한 대표들의 컨퍼런스 공간으로 만드는 구상을 기획한 바도 있습니다.

이를 위해 첫째, ▲ 〈속인고양 광역도시권 조성과 통일 대비 북방경제 중심지화를 위한 특별법〉을 제정하여 속인고양을 인구 30만 광역도시권으로 육성하여 규모의 법칙에 따라 상생 발전할 수 있도록 속인고양 종합 발전을 위한 광역계획을 수립하는 한편, 강릉~제진간 동해선 철도, 춘천~속초간 동서고속화 철도 등 통일시대를 대비하는 인프라 구축 사업을 강력히 계속 추진하겠습니다.

둘째, ▲ 제정된 〈강원평화특별자치도 설치를 위한 특별법 개정〉을 추진하고 설악~금강으로 이어지는 국제 관광 자유 지대의 조성뿐만 아니라 국방개 및 군사시설보호 문제 등을 적절하게 해결해 나가겠습니다.

셋째, ▲ 〈금강산관광의 재개와 지역 발전을 위한 특별법〉을 제정하여 금강산 관광의 재개의 의미, 금강산 관광 재개를 위한 절차, 금강산 관광 중단에 따른 지역 상권의

붕괴에 따른 대응 방법, 금강산 중단에 따라 손실 보전 방법, 금강산 관광 재개와 지역 발전의 연계 방안뿐만 아니라 향후 있을 남북 간의 관광교류 및 민간교류를 대비하겠습니다.

넷째, DMZ를 평화·생태·관광 인프라로 조성해 나가는 것을 통해 세계인들이 함께 찾아와서 함께 느끼고 공감하는 살아있는 체험의 장으로 만들어 나가겠습니다.

다섯째, 강원도는 행정구역 면적의 53.5%(2,571㎢)가 통제 보호구역과 제한 보호구역 등의 규제로 묶여 있습니다. 특히 접경지역 도시지역 내 59.6%(42.08㎢)는 군사시설보호구역으로 묶여 있습니다. 동해안의 6개 시군 해안선 426㎞ 중 161㎞에 걸쳐 군 경계 철책이 설치되어 있습니다. 이러한 규제는 주민 재산권 행사제한 및 지역 균형 발전에 저해를 유발시키고 있습니다. 산지 규제를 완화하고, 동해안 군 경계 철책을 전면 철거하고, 동해안에 평화의 바다(남북 공동어로) 공원을 조성하는 데 앞장서며, 군사시설보호구역 등 불합리한 규제를 획기적으로 철폐해 나가는 데 앞장서겠습니다.

4. 새로운 대한민국과 속인고양의 발전을 위한 디딤돌이 되겠습니다.

속인고양의 미래는 대한민국의 미래와 연결되어 있습니다. 지금은 한 치 앞을 볼 수 없는 암흑기로 보이지만 그 어둠이 걷히면 속인고양은 대한민국 미래를 이끌어 가는 〈대한민국 한반도 평화 번영 시대의 전진기지〉로 세계가 주목하게 될 것입니다. 22대 국회의원 선거에서 속인고양의 국회의원 선거는 수많은 지역구 중의 한 석을 뽑는 선거이지만 그 중요도에서는 어느 지역의 국회의원 한 석보다 중요한 의미를 갖고 있습니다.

저 박상진은 지난 국회사무처 근무 24년 동안 국회의원이 되기 위한 수련과 공부를 해 왔습니다. 저 박상진은 위에 기술한 이 모든 과제를 실현하기 위해 최선의 노력을 다하겠습니다. 이를 위해 반드시 국회의원이 되도록 기회를 주십시오.

준비된 국회의원, 박상진어
30만 속초·고성·양양시대를 열겠습니다

중점 추진약속 ①

인구 30만의 광역 도시권 전략 계획 수립

미래 백년(100년) 평화, 북방경제 광역권 전략계획
수립을 통해 인구 30만 광역도시권 상생발전의
틀을 만들겠습니다. 속초·고성·양양 지역의 미래
100년 먹거리를 위한 혁신성장, 신성장산업 등을
적극 발굴하여 평화·북방경제시대 대한민국 미래를
견인하는 제1의 혁신성장지역으로 육성하겠습니다.

중점 추진약속 ②

평화·북방경제 선도

평화·북방경제 협력모델 추진과 고성군
교류협력촉진특별구역(특구) 지정을 통해
북방경제와 남북교류 협력을 선도적으로 열도록
하겠습니다. 아울러 동아시아 철도공동체 시대를
남북철도협력 사업을 통해 열어나가겠습니다.

· 46번도로 진부령 구간(용대리~간성)의 지하화
  또는 4차선 확·포장을 통한 고성내륙과 해안 연계발전 추진

· 국립자연휴양림 조성사업을 통한 힐링 거점지역 개발과 해안을
  연계한 종합개발 추진
· 접경지역 평화벨트관광사업, 국제기구 및 국제화의 유치 등 한반도
  신경제 구성 선도
· 남북 동해북부선 연결을 목표로 한 철도협력 사업 적극적으로 추진
· 강릉~제진(고성) 동해북부선 사업을 남북교류 협력사업으로
  예비타당성 조사 면제 강력 추진

중점 추진약속 ③

광역 교통망 물류 SOC 확충을 통한 물류 허브 육성

양양국제공항을 동북아 거점공항으로 육성하고
평화·북방경제 광역권을 선도하는 하늘길, 바닷길,
육로길 등 교통물류망 및 광역 SOC 기반확충에
앞장서겠습니다.

· 속초-고성양양 산학만 건설 추진
· 동서고속철도 조기착공 등 속초-고성양양으로 연결되는 광역교통망
  구축사업에 대한 국비 예산확보 추진
· 동해북부선(제진~강릉), 동해고속도로 속초~고성 구간, 속초항
  확충, 국제 크루즈항 항로 개설, 양양국제공항 국제항로 활성화
  등 대륙으로 향하는 평화·북방경제 시대를 대비하는 광역 SOC
  기반시설 조성 추진

글로벌 종합관광산업과 바이오 혁신산업 등으로 자족경제 실현 및 청년일자리를 창출

스마트 휴양관광산업, 글로벌 종합관광 선도사업 추진으로 지역 청년층의 일자리와 양질의 일자리를 창출하겠습니다.

- 환경친화적 산림해양연계 대형복합 관광힐링단지 조성 추진
- 한국을 대표하는 휴양힐링관광 및 문화체험관광, 해강레저관광, 글로벌의료관광과 이를 위한 관광산업 인프라 확대 구축
- 해양심층수클러스터, 바이오헬스 및 바이오수산과 해상 등 스마트양식단지 조성을 통한 산업기반의 확충과 청년층 일자리 및 양질의 미래형 일자리를 창출

스마트 보건복지 실현으로 행복공동체 삶터 조성

지역주민의 스마트 생활복지 실현과 복합생활SOC (육아+교육+의료+스마트도서관+주민건강센터 등) 확충을 통해 살기 좋고 품격 있는 〈행복생활공동체 스마트 삶터도시〉를 조성하겠습니다.

- 서울대학교 속초병원 유치 등을 통한 획기적인 의료 서비스 개선 추진
- 글로벌 관광도시형 생활SOC사업, 귀농귀어촌행복주택단지 유치 추진
- 스마트도시재생사업, 스마트실버케어타운사업 유치 추진

모두가 행복할 수 있는 포용적·지속가능한 지역 관리

지역주민 모두가 안전하고 더불어 삶을 실현하는 포용적 커뮤니티케어 시범사업 지정과 지속가능한 경관환경을 중점 관리하겠습니다.

- 행정안전부 지역안전지수 등급 상향(교통사고, 화재, 범죄, 생활안전, 자살, 전염병) 추진
- 여성·아동 및 노인복지 확대를 위한 기반 조성 추진
- 안전네트워크를 통한 지역인재 육성 프로그램 개발
- 산불피해 주민보상·지원 조기 마무리, 속초시 등 난개발 및 경관환경관리사업 등 추진
- 국방개혁2.0 대응 및 규제개혁 등으로 포용적인 지역문제 해결과 지속가능한 지역발전 추진
- 경제적으로 어려운 소상공인을 위한 소비 활성화와 재정지원·조세감면 추진

준비는 끝났습니다 진짜가 필요합니다
실력있는 박상진만이 미래를 바꿀 수 있습니다

04

설악권 청소년에게 소망하는 적성과 진로를 찾아주자!

(사)한국적성찾기 국민실천본부(상임대표 강지원)가 주최하고, 동 본부 강원영북지회(지회공동대표 전형배·박상진)가 주관하는 강원영북지회 창립총회 및 적성·진로 찾기 강연회가 2015년 11월 7일 14시 강원도 속초 문화원에서 개최된다.

(사)한국적성찾기 국민실천본부는 2011년 전직 교육장 및 교장 등 퇴직 교원들이 중심이 되어 청소년들이 자신의 타고난 적성을 찾아 참된 행복과 성공의 길로 나아갈 수 있도록 지원하기 위하여 탄생되었다.

동 본부에 전국에서 최초로 개설되는 강원영북지회는 속초·고성·양양 지역의 청소년과 학생을 대상으로 적성·진로에 관한 다양한 기회 및 체험을 제공함으로써 서울과 대비되는 적성·진로에 관한 정보의 불균형 및 차별 등을 해소하는 한편, 지역청소년의 올바른 적성·진로를 찾는 데 창조적·선구자적 역할을 할지 관심이 집중되고 있다.

강원영북지회의 발족은 성적 우수형 인재에 대한 단순한 장학 지원사업에서 탈피하여 최적의 적성·진로를 스스로 탐색하고 선택하는 능동적·열정적 지역인재를 발굴·육성하는 개별 맞춤형 진로지원 및 멘토링 사업을 전국 최초로 강원 속초·고성·양양에서 전개한다는 점에서 지역교육의 발전 및 혁신뿐만 아니라 우리나라 교육 및 사회혁신의 분위기 확산에도 계기적 영향을 미칠지 주목된다.

특히, 강원영북지회의 발족은 지역적 기반이 확고한 지역 청장년층이 주축이 되어 추진되는 것으로, 최적의 적성을 찾는 지역인재의 발굴 및 양성이 지역 발전의 시대적·당위적 소명이라는 인식하에 상향적·자발적으로 이루어졌다는 점에서 지속가능한 발전과 지역의 교육 역사에 전환점이 될지 관심이 모아지고 있다.

이번 강원영북지회 창립총회 및 적성·진로 찾기 강연회에는 (사)한국적성찾기 국민실천본부 강지원 상임대표(변호사)를 비롯한 10여명의 이사진, 강원영북지회 100여명의 회원 및 50여명의 자문위원, 이병선 속초시장, 윤승근 고성군수, 김종헌 속초·양양 교육장 및 박을균 고성교육장을 비롯한 영북지역 공공단체장 및 사회단체장, 지방자치단체 의회의원, 초중고 교장 및 교사, 학부모 및 학생 등 총 500여명이 참석할 예정이다.

1부 창립총회에서는 강지원 상임대표가 기념사를, 김종헌 속초·양양 교육장이 축사를, 이병선 속초 시장 및 윤승근 고성군가 각각 격려사를 할 예정이다.

2부 강연회에서는 강지원 상임대표(변호사)가 "최적 사회와 적성 찾기"라는 주제로, 홍승표 공동대표(전 서울 동작교육장)가 "옵티머스가 되자"라는 주제로, 윤주상 영화배우가 "꿈을 가져라"라는 주제로 적성·진로에 관한 강연을 통해 어떻게 적성을 찾고, 찾은 내 안의 적성을 어떠한 방법으로 실현·발전시켜 참된 행복과 인생의 성공에 도달할 수 있는지에 대한 해법이 제시된다.

2015.11.7. 정식 발족하는 (사)한국적성찾기 국민실천본부 강원영북지회는 앞으로 우선 100여 명의 회원, 50여 명의 자문위원, 15명의 운영위원을 중심으로 영북지역의 청소년과 학생을 대상으로 활동을 할 것으로 보인다.

2015년 11월 7일 한국적성찾기 국민실천본부 창립총회에서

05

지역 민주주의 핵심은 생활정치와 민생경제가

8월 22일 서울 여의도 국회의원회관에서 사단법인 한국생활자치연구원 『생활 정치와 민생경제 포럼(회장 박상진 국회 특별위 수석전문위원(차관보))』 창립기념 세미나가 '설악금강 경제권의 생활 정치 구현과 새로운 차원의 혁신적 미래 전략'이란 주제로 열렸다.

『생활 정치와 민생경제 포럼』은 도시 및 지역의 진정한 발전을 위해서 주민 의견이 상향적 과정을 통해 정확하고 신속하게 수렴되고, 반영 및 제도화되는 생활 정치의 구현을 위한 연구와 실천적인 사회운동을 수행하는 한편, 지역주민·지역 농수산업·지역 소상공인 및 지역 소기업 등이 체감하는 경제 및 산업영역 등에 대해 집중적이고 특화된 연구를 통해 민생경제의 발전을 도모함으로써 지역주민 누구나가 행복하고 풍요로운 '알찬 지역'에서 삶을 영위하도록 하고자 하는 목적으로 창립되었다.

특히 이번 창립기념 세미나에서는 등 '설악금강 경제권의 생활 정치 구현과 새로운 차원의 혁신적 미래 전략'을 주제로 삼고 설악금강 경제권(속초·고성·양양·인제)이 안고 있는 상대적인 저개발 낙후 문제, 투기적 자본 등으로 인한 무계획적인 난개발 문제, 지역경제 성장동력의 지속적 약화 문제, 인구감소에 따른 지역의 사회·교육·문화의 침체 문제, 관광서비스업의 성장 잠재력의 한계 문제, 환경과 개발의 계속적인 충돌 문제, 동서고속철도 및 오색케이블카 설치 등 개발사업의 지역 미래 발전 전략과의 심도 있는 연계 발전 문제, 미래 먹거리 창출을 위한 기반 산업의 부재 문제, 종합적이고 통합적인 미래 종합 발전계획의 부분화 및 파편화 문제, 남북 교류의 교착화로 파생되는 경제적 손실 및 기회비용의 확대 문제, 지역 발전을 위한 전략적인 해외 자본과의 연계 발전 부재 문제 등을 전면적이고 전문적으로 본격 다루는 시발점으로 삼았다.

그리하여, 설악금강 지역의 '지역 발전 패러다임의 대전환과 추동세력의 역할교대'에 시동을 걸었다.

포럼의 회장인 박상진 국회 특별위원회 수석전문위원(차관보)는 "지역주민이 그동안의 정치로부터의 소외를 벗어나 생활 정치를 통해 '지역 발전의 적극적 추동 세력'이 되도록 하기 위하여 정책 결정 과정에의 정책 관여와 주민운동을 제도적·체계적으로 보장하고, 설악금강 경제권이 그동안의 발전 방식을 넘어 계단식·혁신적인 미래 발전 전략을 통해 '지역주민과 함께하면서 경제전문가 등의 능력을 최대한 활용하며 사회적인 합의를 이루어 나가는' 새로운 차원의 자족적·자생적 민생 지역경제를 창출하도록 함으로써, 이 지역이 최소 100년 이상 지속가능한 미래 발전이 이루어지는 풍요롭고 알찬 지역이 될 수 있는 길을 찾아가고자 한다"라고 소감을 밝혔다.

이번 행사에는 정치인과 정당 관계자 등을 제외하고 정치적인 중립성을 유지하면서, 주제에 걸맞게 재경속초시민회장·재경속초고총동문회장·재경속여고총동문회장·재경고성군민회장·지역 언론대표 등 설악금강권의 현안에 관심있는 주요 인사, 지역문제 전문 연구 기관의 전문가·연구원, 서울대·단국대 및 동국대 교수 등 학계 미래전략 전문가, 영북설악금강·청소년적성찾기영북지회·강원경제포럼·한백도시지역연구회 등 지속적인 지역연구 및 지역 운동 주요 인사 등 지정 초청된 30여 명의 서울과 설악금강 지역의 주요 인사들이 미래의 설악금강권의 발전 전략에 대해 진지하게 자유토론을 실시하였다.

향후 박상진 회장은 지속적으로 서울과 설악금강권의 인적·물적인 포괄적인 연계, 연구기관·공공기관·정부기관·대학·외국정부 등과 설악금강권의 전략적인 상호협력을 강력하게 추진하여 생활 정치의 실천을 통한 풀뿌리 민주주의 진정한 구현과 설악금강 경제권의 혁신적인 계단식 미래 전략을 통한 지역 발전의 새로운 패러다임을 만들어 갈 예정이다.

2019년 8월 22일 보도 참고 자료

06

설악금강 경제권의 100년 미래를 연구하는
미래정책연구소 개소

2019년 9월 '설악금강 경제권의 100년 미래를 연구하는 정책 전문 연구기관인 미래정책연구소(대표 : 박상진 전 국회 차관보)'가 개소했다.

사업자 등록을 정식 마친 미래정책연구소는 속초, 고성, 양양 등 강원도와 국가의 미래를 준비하기 위하여 필요한 미래 연구, 정책 개발, 연구 조사, 교육연수 및 기관교류 등을 통해 국가 및 지역의 발전에 기여하기 위해 설립되었다.

미래정책연구소는 구체적인 사업으로

① 인구 30만을 목표로 한 속초, 고성, 양양의 미래 전략 사업을 위해, 가. 인구 30만을 목표로 한 속초, 고성, 양양의 중장기 발전 패러다임 연구 사업, 나. 인구 30만을 목표로 한 속초, 고성, 양양의 미래 전략 개발 사업, 다. 인구 30만을 목표로 한 속초, 고성, 양양의 정치, 경제, 사회, 문화, 교육, 복지, 환경, 건강 등 부문별 정책 연구

② 속초, 고성, 양양 등 강원도 지역의 사회 문화 발전에 필요한 사업을 위해 가. 지역의 인재 발굴 및 양성사업, 나. 지역의 불우계층 돕기 및 복지향상 사업, 다. 지역 발전을 위한 경제·사회·교육·환경 등 운동 지원사업, 라. 지역 개발 및 현안과 지역 발전 계획 등에 참여와 지역 아젠다 제시, 마. 지역 현안의 발굴 및 연구 등을 위한 세미나 및 토론회 개최, 바. 지역 발전을 위한 정관계, 학계, 교육 문화계 등과의 교류 협력사업, 사. 지역 발전을 위한 다른 단체 및 외국과의 교류사업,

③ 국가의 발전에 필요한 사업을 위해, 가. 국가 아젠다에 대한 관심과 현안 해결을 위한 참여, 나. 국가정책 형성 및 집행 과정에 의견 개진 및 관련 토론회 개최,

④ 그 밖의 속초, 고성, 양양 등 강원도 지역 및 국가의 미래 전략에 필요한 사업을 실시할 예정이다.

설악금강 경제권 발전의 기본 내생적 추동력이 되는 부문별 환경을 살펴보면 다음과 같다.

○ 지역 출신으로서 대표성을 가지고 지역의 이익을 진정으로 대변하는 정치인들이 의미 있게 존재하는가?〈정계〉

○ 중앙부처 차관급 또는 1급 실장급 이상이 있는가?〈관계〉

○ 매출 2조원 또는 코스닥 상장회사의 대표이사가 몇 명이나 되는가?〈재계〉

○ 수도권 대학의 정교수가 몇 명이나 되는가?〈학계〉

○ 신문사 및 방송사 등의 이사가 몇 명이나 되는가?〈언론계〉

○ 검사장 또는 차장 검사급이 몇 명이나 되는가?〈법조계〉

○ 속초고성양양 지역의 환경은 어떠한가?

- 인재 양성을 위한 제대로 된 시스템이나 장학재단 등이 제대로 존재하는가?
- 문화·복지를 혜택 증진을 위한 관련 재단 등이 있는가?
- 매출 100억원 이상의 토종기업이 존재하는가?
- 정책 결정, 예산확보, 지역 현안 관철, 개발 주창, 불합리한 제도개선 등을 위한 내생적·자생적 세력이 존재하는가?
- 지역 발전의 혁신적·창의적 의견을 취합·종합·전달하거나 연구·발전시키는 연구소·단체 또는 오피니언 그룹이 존재하는가?

미래정책연구소는 위와 같은 객관적인 환경을 엄중히 인식하면서 근본적인 원인을 파악하는 연구를 먼저 진행하면서 설악금강 경제권이 공동체로서 100년 미래를 지속 가능하게 발전시킬 수 있는 혁신적인 정책대안을 마련하는데 진력하고자 한다.

이를 위해 작은 정책 세미나의 주기적인 개최, 토론회 개최, 강연회 실시, 외국 연구 기관 교류, 시군 관계자와의 정책 의견교환 회의, 시민 정책 제안 수렴 등을 실시할

예정이다.

지역의 미래 발전은 지역주민이 추동적인 역할을 하고 이에 대한 상호작용으로 중앙 및 지방정부가 협력하는 체제의 구축이 무엇보다는 중요하다는 인식하에 주민 의견이 상향적 과정을 통해 정확하고 신속하게 수렴되고, 반영 및 제도화되는 생활 정치의 구현을 위한 연구와 실천적인 사회운동을 수행하는 한편, 지역주민·지역 농수산업·지역 소상공인 및 지역 소기업 등이 체감하는 경제 및 산업영역 등에 대해 집중적이고 특화된 연구를 통해 민생경제의 발전을 도모하는 데 역점을 둘 예정이다.

특히, 설악금강 경제권(속초·고성·양양·인제)이 안고 있는 상대적인 저개발 낙후 문제, 투기적 자본 등으로 인한 무계획적인 난개발 문제, 지역경제 성장동력의 지속적 약화 문제, 인구감소에 따른 지역의 사회·교육·문화의 침체 문제, 관광서비스업의 성장 잠재력의 한계 문제, 환경과 개발의 계속적인 충돌 문제, 동서고속철도 및 오색케이블카 설치 등 개발사업의 지역 미래 발전 전략과의 심도 있는 연계 발전 문제, 미래 먹거리 창출을 위한 기반 산업의 부재 문제, 종합적이고 통합적인 미래 종합 발전계획의 부분화 및 파편화 문제, 남북 교류의 교착화로 파생되는 경제적 손실 및 기회비용의 확대 문제, 지역 발전을 위한 전략적인 해외 자본과의 연계 발전 부재 문제 등을 전면적이고 전문적으로 다룰 예정이다. 설악금강 지역의 '지역 발전 패러다임의 대전환과 추동 세력의 역할교대'에 관해 전문적으로 연구를 실시할 계획이다.

미래정책연구소 대표인 박상진 전 국회 차관보는 지역 발전을 실천적으로 주도하는 정책전문 연구기관의 설립을 통해 지역 발전의 침체된 환경의 원인을 진단하고 이를 통해 발전의 추동 변수를 개발하고, 발전의 과실이 확실하고 명확하게 지역주민에게 귀속되도록 하는 한편, 이를 위해 지역주민, 지방정부와 중앙정부의 협력적인 발전 메카니즘 및 시스템의 제도화와 항시화하는 방법을 연구할 예정이라고 밝혔다.

특히, 지역주민이 그동안의 정치로부터의 소외를 벗어나 생활 정치를 통해 '지역 발전의 적극적 추동세력'이 되도록 하기 위하여 정책 결정 과정에의 정책 관여와 주민운동을 제도적·체계적으로 보장하고, 설악금강 경제권이 그동안의 발전 방식을 넘어 계단식·혁신적인 미래 발전 전략을 통해 지역주민과 함께 하면서 경제전문가 등의 능력을 최대한 활용하며 사회적인 합의를 이루어 나가는 새로운 차원의 자족적·자생적 민생 지역경제를 창출하도록 함으로써, 이 지역이 최소 100년 이상 지속가능한 미래 발전이 이루어지는 풍요롭고 알찬 지역이 될 수 있는 길을 찾아가는데 미래정책연구소가 사명감을 가지고 역할을 다하겠다고 소감을 밝혔다.

2019년 9월 보도 참고 자료

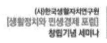

07

설악권 공동체가 고향 사랑의 마음을 모으다

우리는 원래 하나가 아니었습니다.

우리는 편재되어 있었습니다.

우리는 각자 일상을 유지하고 있었습니다.

그러나 우리는 고향 인연의 이끌림으로 시작한 산행을 통해

하나 됨과 새로운 삶의 차원을 경험하게 되었습니다.

우리는 산행을 통해 오랜 그리움과 사랑을 배우게 되었습니다.

우리는 산행을 통해 동행의 아름다움을 깊이 경험하게 되었습니다.

우리는 산행을 통해 일상을 넘어서고자 첫사랑의 열정과 꿈을 가지게 되었습니다.

우리는 산행을 통해 고향을 회상하며 현재에 의미를 부여하며

미래 인연의 영원성을 추구하게 되었습니다.

세월은 모든 것을 지워 버립니다.

세월을 멈추게 할 수 없습니다.

세월은 강물처럼 하염없이 흘러갑니다.

그러나 이 세월의 흐름을 안타깝게 바라볼 수만은 없습니다.

산행을 통해 소중히 얻은 기억과 감정들을 영원히 저장하고 싶습니다.

그래서 산악회 시집을 만들게 되었습니다.

우리는 시집을 통해 고향과 산행의 아련한 기억들을 잡아둘 수 있게 되었습니다.

우리는 시집을 통해 세월이 흘러도 지워지지 않을

추억의 강물을 흐르게 할 수 있습니다.

우리는 시집을 통해 어디서나 고향을 그리워하고 만날 수 있게 되었습니다.

우리는 시집을 통해 언제 가는 멈춰질 육체적 산행을 넘어
계속해서 산행을 할 수 있게 되었습니다.
우리는 고향과 산행과 시집을 통해
우리의 단단한 인연을 미래에도 변함없이 이어질 수 있도록 하였습니다.
이 시집은 동시대에 고향 사람들과 함께 산행한 모든 분들을
재경속초고등학교동문산악회와 어디서든 언제든 무엇을 하든
서로 함께 동행하도록 할 것입니다.

2016년 12월 재경속초고등학교동문산악회, 《산행과 동행》 시집 서문
재경속초고등학교동문산악회장 박상진

08

지역 현안을 선도하는 영북설악금강포럼 창설

서울에서 시작된 고향 사랑과 구체적 실현
이제 영북설금을 창설해 뜻을 보다 직접적으로 모은다.
시작은 미약하지만, 나중에 큰 강물되어 지역에 기여하리라.

새로운 희망
새로운 실현 모델
지속적인 발전의 역동성의 내재화

그리하여 보기에 아름다운
위대하고 자랑스러운 문화적 삶이 넘쳐나는
내 고향 내 삶의 터전 우리들의 공동체의 형성

그 길이 험난하고
어려울지라도
영원성의 마음으로
가리라.

09

속초시립박물관장 속초 예산확보를 위해 국회를 방문하다

예산, 누구나에게 희망을 준다.
그러나 누구나 가져갈 순 없는 보물

정성과 노력 그리고 한결같은 믿음
무엇보다도 발품이 필요한 노동의 대가

먼 길 온 고향 속여고 동기 관장님
어떻게든 선물 실은 배로 보내야 하는데.

쉽지 않은 희망
그 희망의 싹을 꽃피우는 방법

예산 필요성의 설파
고향 사랑의 무턱 내는 열정
가장 정교한 타켓에 대한 광범위한 조준

희망 안고 온 고향의 사도
선물 가득 싣고 가는 만선
거기에 조그만 힘을 크게 보태리
　　　　　　　2018년 7월 3일 예산협의 과정에서

10

또 동해상사 버스를 타고

왠지 눈물이 난다.
과거의 회상 속에서
피어난 꽃

미래의 소망을 바라건데
현재의 토양과 햇빛이 슬프게
하는 것인가

고향 그러나 과거부터
현재를 통해 미래에도
이어져야 할 원초적인 나

새로운 꽃과 새로운 토대와
새로운 고향의 미래
눈물을 씻어 새 힘을 주리

11

결단의 종착역

때가 이른 것이다.
사회 환원을 싣고
출발한 열정과 다짐의
기차

숱한 고난과 역경
그리고 준비와 비전의
인생역을 거쳐

이제 결단의 종착역을
향해 질주한다.

과감하고, 과감하고, 과감하고
두려움 없이 두려움 없이 두려움 없이
결단의 시기를 맞이하는 것이다.

결단의 종착역은 새로운 시작역

새로운 시작인 종착역은
해방 이후 민족 역사와
100년의 미래 역사를 이어

국가 환원의 위대하고 찬란한
최후의 역을 향해 가는 자그마한 출발

결단, 결단, 결단
미약을 넘어 창대함에
이르는 길

마다하지 말고
온몸과 온 정성으로
온 우주의 힘을 받아
온전히 전진하리

2018년 8월 5일 폭염의 길을 달리며

12

설악권 지역사랑 실천하자

설악금강포럼의 발족은 3가지의 복합적 의미가 있다고 봅니다.

첫째, 자아의 재발견과 성찰 그리고 자아를 실현할 고전적 꿈을 달성할 수 있는 기회를 얻게 되었다는 점입니다. 젊은 날을 생각할 때 정말 우리가 어디로 가고 있는지 자체를 모를 때가 많았습니다. 잃어버린 시간들이었습니다. 자아 발견과 실현 사회 환원의 그 가치를 잊어버린지 오래 되었습니다. 이제 포럼을 통해 잠자고 있는, 어딘가에 있는 타자 공헌을 실현할 기회를 얻게 되었다고 봅니다.

젊은 날의 본성으로부터 솟아나는 힘을 여기 포럼으로 결집시킬 수 있는 소중한 장이 마련되었다고 봅니다. 둘째, 고향을 토대로 상호협력을 통한 역량과 힘을 결집시킬 수 있는 소중하고 핵심적인 사람들을 만나게 되었다는 점입니다. 수많은 고향 출신 모임과 사람들 속에서 뜻을 모으고 긴밀한 우의와 협력을 할 사람이 얼마나 있습니까. 소중한 포럼의 선배 후배로부터 우리는 서로 배우며 성찰하며 자각할 수 있는 기회를 얻었습니다. 또한 우의와 의리를 기반으로 한 강력하고 긴밀한 상호협력을 통해 상호 간의 발전을 도모하고 미래로 나갈 확실하고 든든한 후원자를 만나게 되었습니다. 셋째, 포럼의 내생적 외생적 발전을 통해 지역과 국가 발전에 대해 미약하지만 기여할 수 있는 구심력을 확보하게 되었습니다.

회원 개인의 자아로부터 솟아나는 힘과 포럼을 통한 광역네트워크로부터 얻어지는 파워의 결합체인 포럼은 회원 개인을 넘어서는 구심적 힘을 구축할 것이며 이것은 지역과 국가의 미래 발전에 기여할 것입니다.

40

선배 후배님 여러분! 조선의 건국은 신진사대부가, 미국의 건국은 새로운 이민 세력이 이루어 냈습니다. 이 둘의 공통점은 진취적 기상과 도전과 응전의 정신 그리고 어딘가에 있을 미래의 발전에 대한 확고한 의지입니다. 이러한 정신과 가치가 포럼에도 녹아 있다고 확신합니다.

　이제 긴 항해를 할 준비가 되었습니다. 준비가 부족합니다. 어디로 갈지 분명하지 않습니다. 서로에 대해 아직 잘 모릅니다. 항구에 도착할지 의구심과 두려움이 있습니다. 보상이 주어질지 생각하게 됩니다. 그러나 우리는 만났습니다. 한배를 탔습니다. 폭풍우가 거세더라도 앞으로 가야만 합니다. 반드시 신천지에 도착하게 될 것입니다. 자신의 올바른 발전을 도모하고 남을 돕고 협력하는 것은 불가능한 것일 수 있습니다. 지역 발전과 국가 발전에 대한 의식을 갖는 것 자체는 꿈에서나 있을 수 있는 일입니다. 그러나 늦기 전에 자아의 발견 노력을 승화시켜 자아실현의 단계로 가야 합니다. 그것이 삶의 진리인 것입니다. 행동하지 않는 것은 진리가 아닙니다. 삶의 진리를 위해, 자아를 실현하기 위한 액션을 해야 할때가 온 것입니다. 세월을 잡아둬야 할 시점이 도래한 것입니다. 건전한 상식과 진취적 의식을 가진 인간적이며 깊은 애향심을 가진 포럼이 자신과 주변 이웃과 지역과 국가를 위해 행동해야 합니다. 행동하는 진리를 위해, 사회에 대한 보다 더 구체적인 환원을 위해 이제 움직일 때입니다.

　새로운 열망과 혁신적 사고 그리고 공감하고 고양된 인간성과 시대정신을 바탕으로 새로운 발전의 시스템을 구축할 때가 온 것입니다. 그 시스템 하나가 설악금강 포럼인 것입니다. 설악금강포럼은 자신과 상호 간 그리고 지역과 국가에 새로운 물결을 일으킬 것이고 새로운 미래를 만들어 나가는 역할을 할 것으로 확신합니다. 감사합니다.

2015년 12월 15일 설악금강 포럼 창립 인사말

13

설악권 청소년의 꿈을 키우자

『배우의 꿈』 공연이 자랑스런 영북지역 속초에서 개최됨을 진심을 다해 축하드립니다. 속초에서 배우의 꿈 공연이 이루어지기를 간절한 마음으로 소망해 온지 2년 만에 이루어졌습니다. 작은 소망인 『배우의 꿈』 공연이 속초에서 찬란하게 결실을 거두게 되었습니다. 고향 속초와 함께 감사한 마음으로 축하드립니다.

『배우의 꿈』의 시작은 작았지만 영북지역 속초에서 큰 강물을 만나 바다를 향해 거침없이 나아갈 수 있는 기반을 구축했습니다. 이를 위해 헌신적인 노력과 정성을 기울이신 강지원 『(사)한국적성찾기 국민실천본부』 상임대표님과 김영봉 『배우의 꿈』 단장님께 존경과 경의를 표합니다.

또한 『배우의 꿈』과의 만남을 계기로 속초지역에서 봉사와 희생의 아이콘으로 탄생한 『(사)한국적성찾기 국민실천본부 영북지회』가 없었다면 이번 공연은 존재하지 않았을 것입니다. 영북지회 전형배 대표님과 변효성 사무총장님 그리고 운영위원님들과 150여 명의 회원님들이 이번 공연의 진정한 주연입니다. 뜨겁고 감격스럽고 사랑하는 마음으로 깊이 감사와 축하의 말씀을 드립니다.

이번 공연은 진정한 꿈이 어떤 것인지, 그 꿈은 어떻게 이루어 가는 것인지, 꿈을 이루어 가는 과정에서의 행복과 아름다움의 소중한 가치가 무엇인지를 알게 할 것입니다. 꿈꾸는 영북지역을 만들 것입니다. 꿈을 통해 미래를 열어 가는 새로운 물결을 영북지역 전체에 넘쳐나도록 할 것입니다. 꿈을 이룰 수 있는 새로운 힘을 줄 것입니다. 무엇보다도 고향 사랑의 마음으로 우리를 가슴속 깊이 하나로 묶을 것이며 미래에도 영원히 이어지도록 할 것입니다.

2018년 8월 속초에서 배우의 꿈 공연

14
배우의 꿈이 설악권 소망으로

설악제 울 고향 속초의 최대 축제
고향 사람들은 설악으로 묶여
설악의 기상과 정기로
설악의 바다로
하나가 된다.
배우의 꿈 공연
그 속에 찬란히 빛났으니
조그만 소망 이루어져 눈물이 감격의 골짜기를 타고
흘러내리는구나.

국회 고성연수원
고향 소망의 아주 작지만 실현된 꿈
배우의 꿈 속초 공연
적성찾기 영북지회 설립의 오랜 소망의 끝에
찾은 영광과 기쁨이 넘쳐나는 꿈의 또 다른 작은 실현

나의 소망 실현이
지역에 흘러넘쳐
청소년과 학생에게는 적성 찾는 꿈을
어른들에게는 문화를 통한 존재의 행복 추구를

어르신들께는 인생의 새로운 깊은 경험과 향수를
아침 안개 퍼지듯 서서히 온 고향에 퍼지면
그것이 소망하는 아름다운 고향의 원초적 모습이리라.

그 가능성
우리나라 역사를 흐르며 추구되는 문화의 나라
이제 속초에서 보게 되다니
적성찾기 영북지회의 도구를 통해
그 가능성의 작은 소망은 계속되기를

속초 실내 체육관 공연 종료
그 시끌벅적함 속에서
한 줄기 번쩍이는 눈빛
그리고 광명의 통찰적 사고로
또 소망한다.
그리고 소망의 구현을 갈구한다.

2017년 10월 15일 청소년 적성찾기 영북지회의
'배우의 꿈 속초 공연' 관람 후기

15

여의도 국회운동장 속초 80FC 친선 축구

먼저 추운 날 속초에서 온 친구들 속초 80에프씨 정말 환영합니다.

00회장님과 전병렬 총무 준비에 수고하셨습니다.

그리고 재경 속고축구팀도 정말 환영합니다.

송삼용 단장님 박진규 회장님 노경근단장님 이승종 총장님 수고 많으셨습니다.

우리 국회 축구회가 운동장 섭외 등에 수고하셨습니다.

"국회하면 속초!"로 경기전 구호

오늘은 역사적인 날입니다.

국회운동장에서 우리 친구들이 경기를 한 것입니다.

속초를 넘어 당당히 여의도 국회에서 속초의 힘을 마구 과시 한 날입니다.

그 계기는 국회 고성연수원 설립이고 그 연수원에서의 경기 때문이었습니다.

오늘 속초를 통해 우리 모두 하나가 되었습니다.

오늘 국회와 여의도는 우리 것이었습니다.

앞으로도 속초와 국회는 오늘 축구 경기를 전환점으로

우리에게 더 큰 기회와 힘을 줄 것이라 믿습니다.

친구들 정말 반갑고 친구들 덕분에 여의도를 점령하게 되었습니다.

건배 구호는 오늘 여의도 국회에도 속초의 자랑스런 힘이 뻗쳤으니

'속초의 힘!'하면 '여의도!'로 하겠습니다.

정말 감사합니다. 많이 즐기세요.

2017년 11월18일 여의도 국회의사당에서

제2장
박상진이 사랑하고 꿈꾸는 설악권

01

국회 고성연수원 개원, 설악권 발전의 새로운 이정표가 되길 간절히 바라며

2007년 시작 후 오늘에야 완성된 고성군 최대의 사건
국회 고성연수원의 개원
얼마나 기쁘고 흐뭇하고 보람 있고 가슴 뿌듯한 일인가?
내 집의 완성 때 보다 더한 벅찬 가슴 뛰는 것은 왜일까?
부지를 선정하고 예산을 확보하는 데 노력해서인가?
중단된 것을 여론조사와 운영위 질의로 재추진하게 해서인가?
7번 국도에서 들어오는 진입도로 예산을 오롯히 확보해서인가?
부지와 공사 현장을 무수히 방문해서인가?
앞으로 수많은 방문객을 통한 고성과 속초의
발전에 기여할 수 있기 때문인가?

무엇보다도 연수원 개원식의 가슴 벅참은
10년 동안 나의 고향 사랑과 고향 땅 그 땅의 연수원이
함께 내 마음 속에 있었기 때문이리라.
이 세 가지의 일체화된 감정이 미국 코넬대학교가 있는
이타카와 같은 이곳 연수원 자리에서 복받쳐 오는구나.

내 사랑하는 어머니 동네 이웃분 친구 선후배
이장 아저씨 경로당 사람들 교회 번영회 천진 도원, 거진, 간성

수많은 사람의 개원식 참여와 기대와 흥분

이 또한 연수원 미래와 함께 일체화된 감정으로

내게 다가오는 것은 고향에 대한 집착인가 과도한 사랑의 결과인가?

2017년 3월 27일 국회 고성연수원 개원식을 바라보며

02

2019년 고성·속초 산불 피해에 대한 실질적인 지원방안 강구

며칠 전 한 통의 절박한 전화를 받고 40여분 통화를 했다. 지난 4월 발생한 고성과 속초 산불로 인한 피해를 지원하기 위해 8월에 통과한 추경 예산안에 증액 반영된 예산인 '소상공인 재기 지원 예산 305억원'의 실질적인 지원 대책에 관한 통화였다. 특히, 국가재정법상 '예산의 회계연도 독립의 원칙' 등에 따라 불용이 발생할 수도 있는 약 180억원의 처리 방향에 대해 문의하는 전화였다. 생계 활동의 고통, 예산집행의 올바른 처리 방향, 적절한 대응 방법, 예산 프로세스 등에 대한 내용에 대해 의논하였다.

고성과 속초에서 발행한 대형 사회적 재난인 지난 4월 산불로 인한 피해 대책과 관련하여, 필자는 여러 차원의 예산확보 방법 등을 현지의 고성·속초 산불 비상대책위원회에 제시한 바 있고, 국회 기획재정위원회 전문위원과 특별위원회 수석전문위원 등으로서 강원도와도 여러 차례 협의하였다. 국회의 예산 증액 과정 속에서 예산 증액의 논리 제시뿐만 아니라 예산 당국을 직접 접촉하여 예산 증액의 당위성을 설명한 바 있다. 이러한 산불 피해 예산확보 과정에서 필자가 아쉬움으로 남는 부분을 먼저 간단히 살펴보고 논란이 되고 있는 약 180억원의 처리 방안에 대해 검토해 본다.

첫째, 가장 아쉬움이 남는 부분은 지난 2019년 4월 정부의 7조원 규모의 추경 예산안 정부 편성 단계에서 산불 피해 관련 직접지원 예산이 반영되지 못했다는 것이다. 산불 발생 시점과 추경 편성 사이의 기간이 짧아 예산편성의 시간상의 문제 등이 있었으나, 정부의 추경 편성 초기에 나타난 정치적인 반대와 산불 피해 직접지원의 법적 근거 미비 등으로 예산편성 단계에서 직접지원 예산이 반영되지 못했다는 점이다.

둘째, 지난 2019년 4월 정부가 제출한 추경 예산안에 대한 국회 심사 과정에서 산불 피해 직접지원 근거를 마련하는 법안이 제출은 되었으나 이 법안이 통과되지 않은 채 추경 심사가 이루어졌다는 점이다. 이는 기획재정부 등의 입장에서는 법적 근거 없는 예산의 증액 동의로 이어져 예산집행 이후의 국가재정법상의 책임성과 형평성 등을 고스란히 안아야 하는 문제가 있었던 것이다. 그래서 국회 예산 증액 과정에서 주택이재민에 대한 30평 초과분에 대한 직접지원 예산과 소상공인에 대한 직접 지원비 예산 항목이 신설되지 못한 하나의 원인이 되었다고 본다.

셋째, '소상공인 재기 지원 예산인 305억원'은 법적 근거가 없는 상태에서 국회, 강원도, 산불 관련 비대위, 강원도 인맥 등의 노력에 의해 가까스로 국회의 추경안 의결 당일 새 예산 항목에 반영되었다. 다만, 산불 피해 직접지원 예산확보의 방법에 대해 많은 문의를 받고 있는 필자의 입장에서는 그 예산 증액 과정에서 세심하고도 전략적인 측면이 부족하여 산불 관련 소상공인의 고통이 초래되고 있다고 본다.

국회 예산결산특별위원회 전문위원으로 근무했던 경험을 토대로 생각해 볼 때, 아무리 급하게 국회 의결 당일 소상공인 재기 지원 예산 305억원이 통과될 수밖에 없었더라도 예산집행의 구체적인 방향을 포함시킬 수 있는 '부대의견'도 함께 통과되었어야 했다는 점에서 너무나 큰 아쉬움이 남는다. 국회 본회의를 통과하는 예산결산특별위원회의 부대의견에 당초 강원도와 필자가 협의했던 대로 305억원을 지방자치단체 이전 재원으로 하도록 하거나, 직접 지원하는 형태로 예산집행의 조건을 달았다면 지금과 같이 180억원의 불용위기 사태로 인해 소상공인의 가슴에 멍을 들게 하는 일은 없었을 것으로 본다. '디테일' 이것이 중요하다는 것을 다시 실감한다.

넷째, 예산집행의 초기 단계인 중소벤처기업부의 305억원에 대한 사업계획 초기 수립 시 산불 피해 소상공인의 요청과 국회의 의결 취지가 반영되도록 선제적이고 전략적 접근 다시 말해 예산 프로세스별 전반적이면서도 정교한 단계별 접근이 필요했다는 점이 아쉬움이 남는다. 필자는 305억원의 소상공인 재기 지원 예산이 국회에서 통과된 직후 이 예산이 강원도로 내려가지 않는 비목으로 예산 시트에 반영된 것을 확인하고 안타까워했던 기억이 난다. 이에 정부 부처가 305억원을 집행하는 경우 국회의 의결 취지를 준수해야 한다는 판단하에 중소벤처기업부 사업담당자에게 소상공인의 범위 확대 등을 주문했고, 고성·속초 산불 관련 비대위에도 사업계획 수립 시 필요한 요청을 신속하게 하도록 안내를 한 바 있다.

그렇다면 어렵게 국회의 예산 증액 단계에서 확보한 305억원을 온전히 국회 의결 취지대로 행정부가 집행하도록 하는 방안에는 어떠한 방안들이 있을 것인가?

첫째, 산불 피해 이재민 및 소상공인의 피해에 대한 직접지원 근거를 마련하기 위해 제출된 법안을 국회에서 통과시키는 방법이다. 현재 국회에는 심기준의원과 이양수의원이 각각 발의한 '재난 및 안전관리 기본법 일부개정법률안'과 '강원산불 피해구제 및 지원 등을 위한 특별법'이 계류 중이다. 이 법안들을 신속히 11월중에 통과시키고 법적 근거 미비로 집행이 곤란하다고 정부 스스로 판단하는 '예산집행의 정부 책임성'을 해소하여 305억원을 직접지원 방식으로 지원하도록 하는 방안을 검토할 수 있다.

둘째, 기재부와 중소벤처기업부의 예산집행 지침 등을 국회의 예산의결 취지를 감안하여 변경하는 것이다. 305억원 중 약 180억원의 불용위기의 원인은 바우처 방식에 따른 예산집행 금액의 한도를 설정하는 등의 예산집행 지침 등과 사업계획에 기인한다. 305억원에 대한 구체적인 지원 근거 법령이 존재하지 않기 때문에 다른 법령을 원용하여 예산집행 계획을 수립하였기 때문으로 보인다. 이는 기본적으로 '예산집행의 정부 책임성' 때문이다. 그러나 국회의 예산 의결의 규범적 효력은 국회의 법률적 규범적 효력과 동일하다. 따라서 정부와 국회 등은 국회의 의결 취지를 직접적·명시적으로 감안하고, 예산집행 이후 발생할 수 있는 국회 등으로부터의 법적·예산 정책적 측면에서의 '책임성 추궁' 등을 해소하기 위해 상호 간의 협의를 통해 180억원이 직접 지원비 등으로 원활히 집행되도록 예산집행 지침 등을 변경하는 등의 방안을 검토할 수 있을 것이다.

셋째, 올해 12월까지 사업계획을 수립하는 것이 어려운 측면을 감안하여 305억원 중 180억원에 대해서는 불용 처리하되, 같은 금액인 180억원을 2020년 예산에 증액 반영하여 사업을 2020년에 효과적으로 추진하도록 하는 것이다. 약 180억원을 언론에 발표된 '공동사업' 등의 방법을 통해 집행하는 경우 시간상의 제약으로 인하여 사업계획이 치밀하게 수립되지 못할 수 있고, 이로 인한 예산의 효과성 저하뿐만 아니라 국회 및 감사원 감사 등의 문제에 직면할 수 있으므로 사업계획을 철저히 세워 이 예산을

2020년에 최초 집행하도록 하는 것도 하나의 방법이다. 예산 증액 과정에서 정치적인 합의가 필요하고, 신규 반영되는 180억원의 예산 증액 의결 시 '부대의견' 등을 통해 이 부분을 명확히 하면 될 것이다.

넷째, 12월 연내(대략 12월 15일)에 180억원에 대한 사업계획을 신속하게 만들고, 지출원인행위를 통하여 이 예산을 2020년도로 사고 이월하여 집행하도록 하는 것이다. 이 방법이 현재의 입법환경과 예산집행 지침 상황에서는 현실적인 방법일 수 있다. 그런데 사업계획을 치밀하게 수립하는 데에는 시간이 촉박하고, 소상공인들의 절박성 고려, 신속한 영업 재기 및 미래 직접투자 등을 위한 직접지원 요구에는 부응하지 못할 가능성이 크고, 예산집행 이후 사업계획 부실 및 비효율적인 예산집행으로 인하여 정부와 소상공인이 '집행의 책임성'으로부터 자유롭지 못할 수 있다는 점이 감안될 필요가 있다.

다섯째, 소상공인 등에 대한 직접지원 근거 관련 법을 우선 통과시키고, 180억원을 불용 처리하는 한편, 2020년 예산안에 동 금액을 직접지원 예산 또는 강원도로 이전하는 예산으로 신규증액 반영하는 것이다. 속초고성의 소상공인들의 한결같은 주장은 생존권 보장이다. 이 생존권은 헌법상의 권리를 넘어서는 절박성에 근거한다. 따라서 소상공인 등의 진정한 사업 재기를 통한 온전한 삶의 영위를 위해서는 예산집행의 근거되는 두 개의 법안을 정밀하게 손질하여 이를 통과시키고, 이 통과된 법안을 기초로 2019년 추경 의결시의 '소상공 인재 기지원 305억원'의 당초 예산의결 취지를 반영한 2020년 예산을 신규로 반영하는 것이다. 신규로 증액 반영하는 경우, 주택이재민에 대해 강원도에서 일부 직접 지원비로 지원한 사례를 감안하여, 당초 2019년 추경안 국회 심사 시 강원도 요청안과 동일하게 강원도로 이 예산을 이전하는 항목을 신설하는 방안을 검토할 수 있다.

지난 4월 국회에 제출한 7조원 규모의 추경안은 정부제출 99일 만인 8월 2일 가까스로 국회 문턱을 넘었다. 그 과정에서 국회, 정부, 강원도의 노력에 따른 정치적인 합의로 305억원의 소상공인 재기 지원 예산이 법적 근거가 없는 형태의 예산의결로 반영되었다. 이것은 예산이 정치적 합의 과정의 산물이란 점과 그것은 산불 피해 지역주민들의 생존권 보장 그리고 이 생존권이 형평성을 중시하는 예산집행을 넘어서는 특별한 희생으로 인한 실질적인 형평성의 확보에 기반한다는 점이 깊이 감안되어야 할 것이다. 따라서 예산조정 심사 소위가 본격 가동되는 이 시점에서 국회와 정부는 소상공인 재기 지원 305억원에 대한 생존권 부분을 면밀하게 살핌으로써 속초고성 지역 소상공인의 절박한 예산 주창에 대해 실질적인 방안을 마련해야 할 것이다.

예산 반영은 타이밍이고 험한 정치적인 과정이다. 필자가 2019년 추경 심사 시 추경 심사 종료 며칠 전에 고성·속초 산불 비대위로 하여금 추경 심사에 적극 대응하도록 안내한 바와 같이 속초고성 소상공인들과 산불 관련 5개 비대위는 상호협의를 통해 의견을 수렴하여 이번 주부터 시작되는 국회 예산결산특별위 예산안 조정심사 소위, 예산심사 소위, 예산심사 간사회의 등에 대하여 설득과 압박 그리고 네트워크를 통해 '문지방이 닳도록' 요구사항을 주창하고 이를 반영하도록 하는 전략적인 접근이 필요한 때이다.

2019년 11월 19일 강원일보

03

남북 교류의 재개와 설악권의 새로운 발전의 제도적인 방향

춘천-원산 포럼은 강원도 춘천시와 북한 원산시의 교류 협력을 활성화하기 위해 매년 개최되는 포럼입니다. 2018년 9·19 평양 선언을 계기로 시작되었으며, 남북 교류 협력의 새로운 모델을 제시하기 위해 노력하고 있습니다.

포럼은 매년 춘천과 원산에서 번갈아 개최되며, 정부, 지자체, 학계, 기업, 시민사회 등 다양한 분야의 전문가들이 참여합니다. 포럼에서는 남북 교류 협력의 현황과 과제를 논의하고, 구체적인 협력사업을 발굴합니다.

춘천-원산 포럼은 남북 교류 협력 활성화에 기여한 것으로 평가받고 있습니다. 포럼을 통해 남북 교류 협력에 대한 인식을 높이고, 구체적인 사업을 발굴함으로써 남북 교류 협력의 기반을 마련했다는 평가입니다.

1. 남북 관광교류의 의미
○ 남북 관광교류의 새로운 실천적 돌파구 제공
- 남북 관계가 유엔 대북 제재, 북미하노이 회담, 코로나로 인한 북한 봉쇄 등으로 인한 교착상태인 상황에서 남북 지자체 간 교류는 새로운 돌파구 제공
○ 지자체의 독자적인 대북 사업자 지위 최대한 활용
- 최근에 지자체도 독자적인 대북사업을 추진할 수 있게 되어 강원도와 강원도 시·군 등 이 대북 사업자로서 남북 교류 활성화와 기반 조성에 크게 기여할 것이라는 기대 고조

2. 남북 관광교류의 기본 방향

○ 남북 관광의 우선 목표 설정과 시나리오별 전략 필요

　- 남북 관광의 1차적인 목표는 금강산관광의 전면 재개

　- 이를 토대로 개성공단 가동 재개 등 남북 교류 확대의 시간별, 단계별 시나리오가 필요

○ 낮은 단계의 교류 협력사업 우선실시 전략실행

　- 금강산관광 등이 내외적인 변수로 어려운 점을 감안하여 실현 가능하고 구체적인 남북의 공동관심 사안을 우선 추진

　- 인도적인 차원에서 대북제재 면제가 가능한 의료, 보건, 재해, 방역, 기후환경 등의 분야를 중심으로 관광교류의 물꼬를 트는 낮은 단계의 협력사업을 우선 검토

○ 개별관광의 경우 제3국 등을 통한 '실천적이고 정밀한 전략' 마련

　- 원산 등과의 개별 관광교류 등은 대북 제재에 저촉이 되지 않을 수 있는 중국 등 제3국을 통해서 실시하는 방안의 실천적 전략 필요

○ 내국 관광의 경우 유연하고 용이한 동해상 해로를 통한 원산 관광 모색

　- 원산 등과의 내국 관광의 경우 육로보다는 해로를 통해 실시하는 교류의 접근이 용이

　- 해로를 이용하는 경우 금강산 관광 여객선이 출항한바 있는 속초항을 활용

　- 강원도와 협의하여 크루즈 선박을 활용하는 방법 검토

　- 특히, 중장기적으로 속초시에서 추진하고 있는 중국 훈춘, 러시아 블라디보스크 북방항로와 연계하여 시너지 효과 확보

　- 남북 관광교류의 적극적, 선도적인 측면에서 춘천시, 속초시, 고성군 등 강원도 주민을 대상으로 원산 관광 방문자 명단을 작성, 유엔 대북 제재위원회에 제재 면제 신청 추진 검토

○ 9.19 평양공동선언 남북 관광교류의 후속 작업인 제도화 신속 검토

　- 2018년 9월 남북 정상 간 합의한 관광 분야 평양공동선언을 구체화 및 실현 가능화를 위한 국회 비준 검토와 국내법적인 후속 입법 예산 조치 검토 필요

　* 9.19 평양공동선언 : "남과 북은 조건이 마련되는 데 따라 개성공단과 금강산관광 사업을 우선 정상화하고, 서해경제 공동특구를 조성하는 문제를 협의해 나가기로 함"

○ 남북 관광교류, 관광통일특구 등에 관한 기본법 마련

　- 현재 계류되어 있는 "강원특별자치도 설치 및 환동해경제자유특구 지정 등에 관한 특별법안(이양수 의원 대표발의)"에는 남북 평양공동선언 등에 관한 취지 등이 담겨져 있지 않고, 남북협력사업에 관한 기본개념인 평화경제, 남북 교류, 통일특구 등에 대한 제

도적인 틀에 대한 내용은 없는 것으로 보임
- 따라서 남북 교류, 남북 관광 교류, 남북 교류사업, 남북 교류 지원 체계, 예산 및 조세 지원책에 대한 내용이 추가 및 보완되거나 새로운 입법 필요
○ 남북 관광교류의 재개를 위해서는 '선행적'으로 관광 지원 법령 내용 마련
- 과거 금강산관광 중단으로 인한 고성, 속초 등 지역경제의 파탄, 관련 기업의 파산 등이 발생하지 않도록 하는 손실 예방적인 입법 조치가 담겨져야 함.
- 필요시 과거에 과도한 피해를 입은 지역과 기업들에 대한 특별 희생적인 보상을 위한 법적인 조치도 함께 검토
- 남북 관광 교류가 강원도, 강원도 접경지역, 해당 지역경제, 해당 지역민의 삶을 개선하도록 하는 데에 기여하도록 지역 친화적인 정밀한 연계 추진과 제도적인 접근이 필요
○ 남북 교류와 연계된 '강원도 종합발전계획과 설악권 광역 발전계획' 마련 필요
- 서울-속초 간 동서고속화철도, 동해북부선, 양양동서고속도로, 강릉 KTX 등 광역교통망과 남북 교류의 연계 발전을 위한 광역계획의 조속한 마련 필요

2020년 11월 13일

04

화진포에서 지역민의 삶과 함께하는
동해북부선을 꿈꾸며

만추로 향하는 화진포 응봉에 올랐습니다.

북녘을 바라보며 대륙으로 뻗어가는

동해북부선의 화진포역을 상상해 보았습니다.

2021에 착공하여 2027년 완공 예정인 동해북부선은

만주벌판을 가로지르는 대륙 간 물류 여객 열차입니다.

이 동해북부선은 우리 지역 사람들의 삶과 함께 공존하면서 달려야 합니다.

이 열차는 사람들을 불러 모아 우리 지역에 새로운 활기가

강물처럼 흐르게 해야 합니다.

이 기차선로가 우리 지역을 소외시키거나 패싱(PASSING)시켜서는

더 이상 안 됩니다.

이 기차는 우리 지역과 대한민국의 100년을 향해 달려가야 합니다.

제진역, 화진포역, 간성역, 교암역, 천진역, 속초역, 양양역, 하조대역이

간이역 형태라도 모두 만들어져야 합니다.

대륙을 향하면서 지역과 반드시 함께하는 '생활 관광열차'가 되어야 합니다.

동해북부선과 더불어 동서고속철도, 양양공항, 속초항을 품은 설악광역권이

'세계적인 관광 물류 거점지역'으로, 평화 경제의 핵심 역할을 하고,

대한민국 100년 미래를 열어가는 플랫폼이 되어야 합니다.

2020년 10월 15일

05

동해북부선, 동해안 발전과 대한민국 발전의 새로운 동력으로

오늘(20.12.23) 동해북부선 기본계획이 관보에 고시되었습니다.
새로운 미래열차, 대륙열차, 통일열차, 동해안열차가 달리게 됩니다.
가슴 벅찬 일입니다.
강릉역(기존역 하부), 주문진역, 38신호장, 양양역, 속초역(확장),
간성역, 화진포신호장, 제진역이 신설됩니다.
38, 화진포 신호장을 역으로 상향시켜야 합니다.
동북선 계기 각 역별 배후 계획 수립, 동해안 및 강릉양양속초고성인제
설악광역계획 수립, 각 지역별 동북선 연계 발전계획을 수립해야 합니다.
동북선과 연계하고 평화 및 통일, 남북이 합의한
설악금강동해안 남북관광공동구역, 남북 교류거점 등의 개념이 들어간
'강원도 및 동해안 평화 발전 특별법(가칭)'을 제정해야 합니다.
그래서 동해안 발전과 대한민국 발전의 새로운 동력을 만들어야 합니다.
또한 영북신항만, 양양공항 미주노선 확장, 동해고속도로 고성 연장,
인제용대(백담사역)-고성간성역 간 도로개설 등
광역교통망을 추가 신설하여 시너지효과를 만들어야 합니다.
이를 위한 시군의 노력과 '깨어있는 시민들의 조직화된 힘'이 필요합니다.
정보공유 및 공개, 대토론회와 계획 수립 등을 위한
연구용역이 함께 하기 위한 그 시발점입니다.

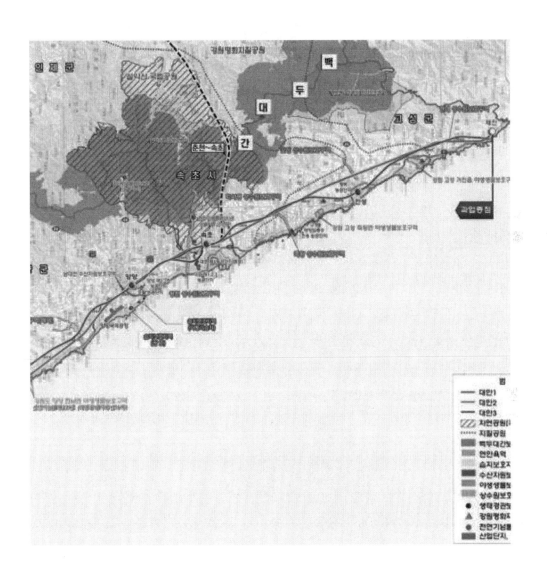

06

설악권 100년 미래를 위해 동해북부선 공론화가 더 크게 열려야

칼 포퍼는 「열린사회와 그 적들」에서 "열린사회란 사회 구성 개개인이 자신의 행위에 책임을 지고, 독자적인 판단을 내릴 수 있는 사회"라 정의했다. 열린사회는 사회 현안에 대한 알권리 확대와 민주주의의 시장인 공론화의 과정을 거친다. 열린 민주사회는 개개인의 이익과 사회 공동의 이익을 조화롭게 극대화한다.

그러나 동해북부선(강릉-고성 제진) 추진은 이 열린사회의 요건에 부합하지 않는다. 공론화를 통한 사회적 합의가 12월 동해북부선 기본계획의 수립에 반영되어야 하는 당면과제가 있다. 이 사업계획이 강원도, 동해안권 그리고 대한민국의 100년 미래 성장 전략에 부합하는지에 대하여 다음과 같이 '공론화의 시장'이 열려야 한다.

첫째, 동해북부선은 관광, 물류, 지역 경제 발전 측면에서 기본계획이 수립되고, 노선선정 최종과정을 거쳐야 한다.

동해북부선은 물류, 관광, 지역 경제 발전 측면에서 분명한 정책 목적을 가지고 있다. 동해북부선은 단순 물류 철도가 아니라 관광과 지역 연관 산업 유치 등을 통한 지역 발전에 기여하도록 계획되어야 한다. 현재 전략환경영향평가서에 적시된 3개의 노선안에 대한 장단점 및 효과와 비중성 등에 대한 지역주민, 국토부, 강원도, 지자체, 언론 등이 합동으로 개최하는 대토론회가 열려야 한다. 정보가 대칭적으로 제공되어야 하는 것이다.

둘째, 동해북부선의 추가 역사 신설 지역요구를 적극 반영해야 한다.

동해안권 각 지역이 요구하고 있는 양양 38선역 및 고성 화진포역 신설과 강릉지역 역사의 사회적 합의 내용이 기본계획에 담겨야 한다. 양양지역 관광수요 대응, 민통선 북쪽인 고성 제진역의 출입 곤란 해소, 각 지역의 경제 및 관광 활성화 등을 위해 거점적인 역할을 하도록 해야 한다.

셋째, 관광, 물류, 지역 경제 발전의 시너지 효과를 감안해 동해북부선 속초역의 지리적인 적정성에 대한 논의가 필요하다.

현재 동해북부선 속초지역 역사는 동서고속화철도 노학동 속초역을 확장하는 형태로 계획되어 있다. 속초역은 동서고속화철도의 종착역이고 동해북부선이 통과하는 교차환승역의 역할을 하게 된다. 물류와 여객이 집합하고 결절하는 통합역이 된다. 따라서 동해북부선 속초역 확장 방법이 속초, 동해안권 및 강원도의 지역 경제발전과 대한민국 100년 미래 성장에 도움이 되는지를 냉철하고도 겸손하게 검토해야 한다.

넷째, 철도 등 광역교통망 확충에 따른 강원도, 동해안권 및 설악권의 광역계획 마련과 특별법 제정 등이 선제적으로 이루어져야 한다. 이 광역계획에는 기능별, 지역별, 협력별 내용이 종합적으로 포함되어야 한다. 이 계획은 지역 간 상생 발전적으로, 지역 경제문화 친화적으로 짜여져야 한다. 그래야만 대한민국의 새로운 성장동력의 기틀을 마련하는 데 기여할 수 있는 것이다. 또한 동해북부선 개설 계기 2018년 9.19 평양선언 등에서 합의한 '금강산관광 사업 정상화와 동해안 관광 공동특구 조성' 등에 대한 후속 입법예산 조치의 검토 필요하다.

국토부는 연내에 동해북부선의 기본계획 수립을 완료할 계획이다. 지금이라도 공론화의 시장에서 알권리 충족과 사회적인 합의를 이루어야 한다. 그리고 합의 과정에 참여한 중앙정부는 기본계획을 수정·보완하고, 예산 및 입법을 통한 빠른 사업추진으로 사회적 합의를 준수하여야 한다. 속초고성양양, 강릉 및 강원도 등 지역 구성원은 합의된 내용을 주장하고 관철시키기 위해 최선의 노력을 다해야 한다. 이것이 우리가 희망하는 민주적 열린사회이다. 이것이 대한민국의 100년 미래 발전, 강원도 및 설악권의 광역적 경제문화 발전에 필요한 최적의 전략적 선택이다.

2020년 12월 18일 강원도민일보

07

이재명 경기지사와 함께한 DMZ의 평화적 활용 방안

DMZ의 평화지대화는 분단 체제와 정전 체제를 넘어서는 상징성과 대표성을 가진다. 2018년 평창올림픽 이후 남북한은 2018년 4.27 판문점선언, 9.19평양공동선언, 동 판문점선언 이행을 위한 군사 분야 합의서에서 비무장지대의 평화적 이용에 대해 합의한 바 있다. 그런데 비무장지대의 평화적 이용을 위해서는 유엔사의 허가를 받아야 한다는 것이 핵심 관건이 되었다. 강원 고성 지역의 DMZ의 활용 사례를 살펴보자.

고성 DMZ 평화의 길은 총 16km이며 A코스, B코스, C코스로 구성된다. DMZ 밖에 있는 A코스, B코스는 2019년 4월 27일 개방되었다. 이후 아프리카돼지열병(ASF)의 여파로 2019년 9월 30일 중단되었다. 그러나 DMZ 내에 있는 C코스 상의 고성 GP(829 GP, 보전 GP)는 민간에게 아직 개방된 적이 없다.

19.6.17 언론보도에 따르면, 국방부가 DMZ 내에 있는 고성 GP의 민간인 출입을 제한한다는 유엔군사령부의 방침을 공식 발표했다. 이러한 유엔사의 개방 불허 조치는 군사 안보의 목적인 측면이 크지만, 남북 교류 협력의 측면에서는 우리의 주도적인 남북 관계 개선과 평화추구 노력을 제약할 수 있다.

유엔사의 C코스 개방 불허 조치에 따라 고성의 경우, 노무현 벙커 경관 명소화 사업, 건봉사, 369 GP 및 금강산 전망대 등 평화·관광 상징화 사업과 철원·파주와 연계하는 평화의 길 조성 사업이 전체적으로 무산될 처지에 있게 되었다. 또한 동해북부선 철도의 착공에 따라 검토될 수 있는 DMZ연계 남북고성공단, 남북고성물류단지, DMZ 생태공원 등의 사업검토가 이루어질 수 없는 상태가 되었다. 이는 저개발 지역인 고성과 이와 연접한 속초, 양양 및 인제 등의 지역경제 발전에 타격을 준다. DMZ의 평화적인 이용을 위해서는 지금부터라도 우리가 해결할 수 있는 방법을 고민하고, 중앙 및 지방정부가 이에 새로운 차원에서 대응하는 것이 필요하다.

우선, DMZ 접경지역 지자체 간 협약 또는 법률 등을 통해 가칭 'DMZ의 평화적인 활용을 위한 공동 추진 협의회'를 구성할 필요가 있다. 이를 통해 사안의 발생 시 공동으로 대응하고, 해결 방안연구, 입법과정, 유엔사 및 미국 정부 등의 대응에 있어서도 한 목소리를 낼 필요가 있다.

둘째, 고성 GP 개방 불허는 DMZ 출입 금지의 사유와 관계없이 유엔사의 판단에 따라 전적으로 개방 여부가 결정되는 구조이다. 이 구조에 대하여 절차적인 참여와 이의제기 시스템을 도입하는 방안을 검토할 필요가 있다.

셋째, DMZ의 민간인의 출입 등은 DMZ의 남북 군사 충돌 방지라는 목적을 넘어선다. 따라서 DMZ의 민간인의 출입 등 평화를 증진시키는 행위에 대해서는 우리 정부에게 충분한 판단여지를 주고, 유엔사 승인의 기준 또한 완화해서 적용하도록 하는 방안을 추진할 필요가 있다.

넷째, DMZ의 평화적 이용을 위한 가칭 '접경지역의 지원 및 DMZ의 평화적 활용을 위한 평화경제 특별조치법'의 제정을 검토할 필요가 있다. 이 법안에 현행 접경 지역지원법 대상에서 제외되어 있는 DMZ을 명시적으로 포함시키고, 유엔사의 DMZ 개방 불허에 대한 지자체와 우리 정부의 이의제기에 관한 절차적인 시스템에 관한 부분을 포함할 필요가 있다. 또한 DMZ의 평화적인 활용을 위한 지방정부의 계획 수립 입안권, 계획집행권, 재원 조달, 공동 대응 등에 대한 내용을 담아야 한다.

남북이 이미 합의한 남쪽 지역 DMZ의 평화적 활용에 대한 이행과 제도화는 교착 국면인 남북 관계를 새로운 변화의 길로 이끄는 돌파구를 제공할 것이며, 이 시점에서 중앙 및 지방정부가 함께 더욱 노력해야 할 것이다.

2021년 1월 29일 강원일보

08

속초 실향민 축제가 한반도 평화통일의 선구자로, 대한민국 통일문화 전국 축제로

속초 실향민문화축제가 시작되었다. 같은 날 서울 여의도에서는 '강원평화특별자치도 설치 토론회'가, 춘천에서는 '춘천-원산 포럼'이 열렸다. 난 속초로 갔다.

'한반도 평화통일의 꿈을 품은 속초!'

2021년 속초 실향민 문화축제의 기치다. 그 이전 실향민 축제와 격이 다르다.

실향민은 분단의 상징이다. 또한 제가 태어난 이 지역의 슬픔과 안타까움이 묻어있는 역사성을 가지고 현재도 이어지고 있다. 일명 수복지구인 속초는 함흥 등 북녘 고향을 떠나오신 분들과 남쪽 고향을 두고 북으로 떠난 분들의 가족들이 삶을 이어가는 곳이다.

근본적 해결이 한반도의 평화통일이다. 이번 실향민 축제가 실향민을 위로하고 속초 관광을 활성화하는 지역축제를 넘어, 통일의 새로운 지역적 기제로 작동하는 역사적 계기가 될 것이다. 모든 것이 그러하듯, 개념과 방향성이 중요하다. 그런 측면에서 축제의 주제 설정이 좋았다. 특히, 속초문화재단과 서울대 통일평화연구원이 공동주최한 학술회의 '실향민 문화축제 속초와 한반도 평화'는 축제의 정수다. 속초시와 속초문화재단이 어렵게 성사시킨 행사로 알고 있다. '앎'을 지향했다는 점에서 아주 잘한 행사다.

학술포럼은 실향민 축제 역사상 처음이다. 볼거리와 먹거리 위주의 지역축제를 넘어선 전국 처음이 아닐까 한다. 실향민 그리고 신생 도시 속초가 갖는 역사적 함축성 때문에 더욱 의미가 크다. 이 포럼은 한반도의 실향민이 누구이며, 실향민의 한국사적 의미, 실향민의 도시 속초의 역할, 실향민의 개념을 과거를 넘어 어떻게 미래로 가져갈 것인지, 실향민과 통일의 당위성, 평화 도시 및 평화 경제와 속초, 실향민과 남북 교류,

수복 지구 속초와 남북 교류, 실향민 도시 속초의 미래 발전, 문화가 넘쳐나는 속초와 실향민 등에 관한 소중한 개념적 자산과 방향성을 제공했다고 본다.

시장님과 김관장님 등 관계 공무원께서 몇 년 전 어렵게 확보한 국비가 제대로 쓰이는 현장에 참석했다. 서울대 통일평화연구원 객원연구원을 역임한 인연으로 라운드 테이블 토론자로 참석했다. 새로운 발전의 씨앗을 잉태하고 있는 실향민 축제의 현장에 태어난 지역민으로 행사에 참석한다는 것은 정말 가슴 벅찬 일이다.

속초 실향민 문화축제가 전국 행사로 우뚝 서길 바란다. 속초가 실향민의 정체성을 확보하고 이를 바탕으로 실향민 문화의 메카가 되길 바란다. 우리의 가족일 수 있는 북쪽 실향민과의 감정적 연대가 불붙듯이 일어나 남북 교류로 타오르길 소망한다.

그리하여 속초가 얼어붙은 남북 교류의 선구 도시로, 한반도 통일의 전진 도시로, 실향민의 아픈 역사를 제대로 조명하는 촛불 도시로 나아가길 희망한다.

통일의 첫날에, 아니 이른 시간 내에 금강산관광이나 남북 상호방문의 첫날에, 속초 실향민이 제일 먼저 원산, 함흥 등 북녘의 고향 땅을 밟는 그날을 만들기를 소망한다.

속초항에서 페리로, 동해북부선 속초역에서, 양양공항에서 우리의 형님과 누님들이 북쪽의 실향민 가족을 만나러 가는 날을 기다린다.

2021년 6월 25일

09

다문화가족과 다 함께 행복한 공동체를 위하여

강원 고성에 살고 계신 어머니의 77번째 생신에 정말 많은 분들이 축하해 주셨습니다. 모든 분들께 깊이 감사드립니다.

지난 21. 8.14(토) 제가 대표로 있는 미래정책연구소·설악미래포럼 공동으로 속초다문화가족지원센터(센타장 김상래)를 방문하여 '제2회 더 가까이 찾아가는 민생정책포럼'을 개최하였습니다.

저희 포럼은 다문화가정이 미래 대한민국의 훌륭한 시민으로 성장하기 위한 초석을 다질 수 있도록 지원하는 것이 매우 중요하다는 판단하에 속초다문화가족지원센터를 찾았습니다. 이 포럼에는 코로나로 인하여 저를 비롯한 최소한의 임원과 김상래 센터장과 관계 직원이 참석하여 다문화가족이 건강한 시민의 일원으로 정착할 수 있도록 하는 많은 발전 방향에 대한 논의를 하였습니다.

포럼에서는 현장에서의 애로사항을 발굴하고, 다문화가족에 대한 새로운 변화와 혁신적 발전을 위해서는 많은 공모사업 유치와 본 사업을 수행할 핵심이 되는 임직원들의 근무 환경 개선이 필요하다는 데 공감하였습니다.

이를 위해 미래정책연구소·설악미래포럼과 속초다문화가족지원센터가 건전하고 합리적인 새로운 후원방안 모색과 다문화가족이 주인이 되는 사업을 함께 발굴하는데 협력하기로 합의하였습니다.

속초시의 결혼 이민자 수는 베트남 87명, 중국 79명, 필리핀 42명 등 13개국 275명으로 가구원 수로 보면 816이며, 자녀는 267명에 달해 속초시 인구의 0.3%를 차지하고 있습니다.

따라서 이러한 합의는 사회적 가치의 구체적 실현을 도모하고, 다문화가족이 미래의 훌륭한 시민으로서 역할은 물론, 대한민국의 건강한 국민으로 거듭날 수 있도록 하는 지역공동체 사업으로 의미가 있다고 생각합니다.

　현재 다문화가족 지원의 중요성을 인식하고 있는 속초문화원, 속초의료원 등 12개 기관단체가 속초다문화가족지원센터와 기관협약을 맺고 다문화가족의 사회활동 참여 유도, 소득과 연관될 수 있는 취업 알선과 통역관 활동 지원 등 실질적인 도움을 주고 있는 것으로 알려졌습니다. 이러한 상황에서 저희 포럼이 협의한 내용도 다문화가족에 대한 인식 제고와 확산을 도모하고, 다문화가족의 발전과 활동에 새로운 기회를 제공할 것으로 생각합니다.

　특별히 다문화가족 지원을 위하여 노력하는 임직원의 책상, 컴퓨터, 사무기기 등의 지원을 통한 낙후된 근무 환경 개선이 시급하고, 센터의 위치가 교외 지역으로 다문화가족이 접근하는 데 필요한 이동 수단 확보가 매우 절실합니다. 따라서 저희 포럼은 작은 실천을 위해 속초다문화가족지원센터와 함께 협력·후원단체의 확보에 공동 노력하기로 하였습니다.

　향후 저희 포럼은 작은 걸음이지만 '더 나은 지역공동체', '더 나은 국가사회 공동체'를 위해 '더 가까이 찾아가는 민생정책 포럼'을 지속적으로 추진해 나가겠습니다.

　많은 성원과 애정을 부탁드립니다.

2021년 8월 19일

10

설악권과 강원도의 미래를 위한 제대로 된 대선 공약 제시해야

2021년 10월 30일 속초에서 미래정책연구소와 설악광역포럼이 공동주최한 대선 정책 포럼이 열렸다. 주제는 '20대 대통령 선거와 설악광역권의 새로운 발전 전략'이다. 주제 발표에서는 국민의힘 강원도 대선 공약 예시로 강원도 규제개혁, 미래형 경제 강원특별자치도 설치 등이 소개되었고, 더불어민주당 대선 공약 예시로는 강원도 평화특별자치도 설치, 수소경제특구 등이 소개되었다.

그런데 주제 발표상에 제시된 여야의 대선 정책을 비교해 보면, 우선, 여야 모두 설악광역권 발전과 관련된 공약은 없거나 기존 정책만을 나열한 측면이 많다. 마찬가지로 여야의 강원도 공약 자체도 크게 다르지 않은 것으로 보인다. 강원도특별자치도법 제정, 광역교통망 확충, 수소경제특구 등은 여야 모두 비슷한 강원도 공약인 것이다.

그런데 접경지역이 많은 설악권과 강원도 미래의 발전 전략에 영향을 주는 정책이 강원도특별자치도법 제정인데, 이 공약은 여야 공통적이면서도 법안의 지향점이 상이한 것을 알 수 있다. 민주당은 '강원평화특별자치도특별법안'을, 국민의힘은 '강원특별자치도 설치 및 환동해경제자유특구 지정특별법안'을 국회에 제출해 놓고 있다.

국민의힘의 법안은 입법의 형평성 및 실효성 측면에서 추가 검토가 필요하긴 하지만 국회 통과의 가능성에 대한 솔직한 검토가 필요하다. 이 법안은 강원도의 규제, 낙후성 등을 입법 근거로 제안되었는데 낙후된 경북지역, 경기 북부 지역 등 다른 저개발 지역과의 형평성 측면에서 논란이 될 수 있다. 또한 특별해야 국가의 특별한 재정지원 등이 이루어지는데 그 특별성이 없다.

제주도처럼 제주국제자유도시개발센터(JDC·내국인 면세점 운영) 운영 등 자체 재원 조달 방법이 없어 지역 개발 등에 실효적이지 못할 수 있다. 민주당 법안도 국민의힘 법안과 유사하게 입법 형평성 및 실효성 등의 측면에서 문제가 있다. 다만, 통일 기여, 접경지, DMZ, 금강산관광 지원, 남북 합의 동해안 관광특구 지정, 동해북부선 철도, 규제의 특별희생 입증 등 특별한 요소들을 법리적으로 잘 엮으면 특별법 제정의 입법 목적에 부합될 수 있다. 강원도민과 접경지인 설악권이 함께 힘을 모아야 할 지점이 있는 것이다.

이번 대선 정책 포럼의 시사점은 결국 여야 모두 설악광역권뿐만 아니라 강원도의 새로운 공약정책을 제시하지 못하고 있다는 것이다. 이와 관련하여 설악광역권은 우선 광역교통망 확충에 따른 기속력 있는 '설악광역권 발전 종합계획'을 수립하여 4개 시·군과 동해안권이 상생 발전할 수 있도록 시너지 효과를 내도록 정책전략을 마련해야 한다.

설악광역권의 발전은 동해안·태평양 축, 접경지·동서축, 백두대간 축 등 3가지 축을 중심으로 한 발전 전략이 마련되어야 한다. 또한 동서고속철, 동해북부선과 양양공항의 입지를 활용한 물류 기능을 강화하는 지역 개발 전략을 통해 물류 등 연관 산업을 '의도적'으로 유치해야 한다. 그래서 기업을 유치하고 일자리를 창출해야 한다. 종국적으로 육상 및 항공 등과 연계하여 북한, 북방, 태평양 등으로의 물류 처리를 위해 설악광역권에 신항만도 신설되어야 한다. 인구소멸 방지와 새로운 도약을 위해서는 평화특례시 지정 등 특별한 특단의 정책이 특별법에 특별히 담기도록 해야 한다. 아직도 늦지 않았다.

2021년 11월 7일 강원일보

11

동해북부선 착공, 광역교통망 시대! 한반도와 설악금강권 광역적 발전 전략을 짜야

강원 속초 소재 설악광역포럼·미래정책연구소(대표 박상진)는 지난 9일 고성에서 강원일보사와 공동으로 '동해북부선 착공, 광역교통망 시대! 한반도와 설악금강권 광역 발전 전략 대토론회'를 개최하였습니다. 개최의 목적은 이번 대선을 계기로 설악금강권이 낙후된 변방에서 역동적으로 발전하는 지역으로 한 걸음이나마 나아가고자 하는 것입니다.

설악금강권은 천혜의 자연환경과 관광자산을 가지고 있지만 지역소멸의 위기를 맞고 있습니다. 설악금강권의 단기 및 중장기적인 종합 발전 전략이 반드시 마련되어야 할 시점에 와 있습니다. 그런 측면에서 지난 9일 개최된 '대토론회'에서 발표되고 논의된 정책내용은 한반도와 관련되어 있는 설악금강권 지역의 미래에 대한 방향을 설정하는 데 도움을 주었다고 생각합니다. 대토론회에서 제시된 정책과제는 설악금강권 지역 주민의 의견과 열망이 담겨 있기 때문에 이를 국회의 입법 및 예산과 국가의 정책에 반영하는 것이 무엇보다도 중요합니다. 대토론회에서 제시되고 논의된 사항을 토대로 정책과제를 간략하게 살펴보면 다음과 같습니다.

첫째, '강원도 평화특별자치도법'의 제정과 이에 근거하여 속초·인제·고성·양양을 30만 설악광역 도시권으로 만들어야 합니다. 이를 위해 인구 30만명 규모 기준 종합적·지속적 설악광역권 발전 특별계획을 수립하고, 2018년 9·19 평양공동선언의 동해안 관광 공동특구의 국회 비준과 이 비준 내용을 해당 법안에 넣어야 합니다. 이런 법리 구성을 통해서만 국회의 입법 문턱을 넘을 것으로 생각합니다. 특별법에 걸맞은 특별한 법리 구성이 필요합니다.

둘째, 김대중 대통령 때 수립된 '설악금강권 관광 개발계획'이 온전히 실현되어야 하고, 스위스 알프스형 모델의 설악동 재건 사업이 대대적으로 실시되어야 하며, 동해안 관광 공동특구의 국회 비준과 연계되어 설악금강권의 동해안에 '동해안 해상 국가정원'이 신설되어야 하고, 동해북부선과 동서고속화철도의 결절지역인 속초를 북방물류 종합거점지역으로 대대적인 육성을 해야 합니다. 그리고 동해북부선 철도와 동서고속화철도는 설악금강권의 광역적인 발전에 유용하면서도 주민의 삶의 질을 실질적으로 개선하는 방향으로 운행 목적, 노선, 역사, 역세권 등이 최종 설계되어야 합니다.

셋째, 설악금강권에 평화경제특구, 국민 휴양특구를 지정하고, 강원 고성 제진역 부근 물류단지 및 남북평화 공단 조성, 설악금강권 영북 신항만 신설, 관광 및 남북 교류 관련 공공기관 이전 및 서울대학교 속초병원 설치 등 평화통일병원 신설 등이 구현되어야 합니다.

넷째, 개별관광을 포함한 금강산 관광이 재개되어야 합니다. 금강산 관광이 재개될 때는 이와 관련한 추진 과정, 지원 방법, 피해 시 보상 등에 관한 '금강산 관광 재개 특별지원법'이 마련되어야 합니다. 더 이상 금강산 관광의 재개와 중단에 따른 지역민의 피해가 없도록 정교한 추진 및 지원 체계가 마련되어야 합니다.

다섯째, 인제~고성 진부령 구간 국도의 직선 고속화(4차선 확포장)와 인제~동해안 연계 발전, 민간인 통제선의 합리적 조정·축소, 접경지역의 지원 및 DMZ의 평화적 활용을 위한 법·제도의 정비 등이 이루어져야 합니다.

여섯째, 진부령 등 백두대간과 연계된 화진포 국제 종합 힐링 휴양단지 조성, 설악광역권 백두대간 국립자연휴양림 조성, 양양공항 주변 복합도시 조성, 북방항로의 확대·개설 등도 함께 검토·추진되어야 할 것입니다.

설악금강권은 낙후되어 있는 변방의 특수지역입니다. 설악금강권의 발전은 '특별성'의 인정으로부터 시작되어야 한다는 측면에서 평화 경제를 토대로 한 특별법의 통과, 접경지 등에 대한 특별정책의 강화, 가야 하는 길인 남북 교류 및 통일 기반과 관련된 정책이 반드시 실현되어야 할 것입니다.

2022년 2월 4일 강원일보

12

설악금강권의 광역발전계획 수립과 광역도시권 조성을 시급히 추진해야

설악금강권 지역에는 이미 2001년 양양공항이, 2009년 서울–양양고속도로가 완공되었습니다. 2022년 올해 1월 5일 동해북부선 착공식이 있었으며, 2022년 2월부터 춘천–속초 동서고속화철도의 공사가 시작됩니다. 이미 2016년 동해고속도로 속초 나들목이 개통되었고, 동해고속도로 고성 구간은 2022년 1월 '정부 제2차 고속도로 건설계획'에 반영되었습니다. 명실공히 설악금강권에 수도권 접근성을 높이고 통합적·종합적 발전을 가능하게 하는 광역교통망 시대가 열리고 있는 것입니다.

지역 발전을 추동하는 요소에는 여러 가지가 있지만, 지리적인 접근성을 개선하기 위한 광역교통망의 조성은 지역 발전의 기초적인 물리적인 구조를 만드는 것입니다. 그 물리적인 구조가 지역 발전을 위한 기능을 수행하고, 이것을 통해 인적 왕래가 활발하게 되고, 물류가 흐르고 일자리가 생기는 사회적 관계의 형성과 새로운 변화가 생기게 됩니다.

그런데, 설악금강권에는 본격화되는 광역교통망 시대에 부응하는 시·군을 광역적으로 연결하는 기능적 측면의 광역계획조차 아직 수립되어 있지 않습니다. 요즈음 거론되고 있는 메가시티가 광역계획을 토대로 하는 광역도시권 조성이라고 볼 때, 역사적으로 동일 경제문화권역인 설악금강권의 광역계획 수립과 광역도시권 조성은 시급히 추진되어야 합니다. 그리고 이러한 동해북부선 신설 등 광역적 정책은 남북 관계와 한반도를 둘러싸고 있는 국제관계의 외생변수가 직·간접으로 연결되어 있기 때문에 이를 고려한 정책의 수립과 집행이 반드시 필요합니다.

2022년 2월 9일

13

특별한 강원도를 위해 정말 특별한 특별법을 제대로 만들어야

필자는 강원특별자치도 범국민추진협의회 위원으로, 국회에서 수석전문위원을 지낸 경험을 바탕으로 '강원특별자치도법 개정안'의 입법전략에 대해 살펴보고자 한다.

6.1 강원특별자치도의 출범을 위한 후속 조치로서 '강원특별자치도법의 개정안'작업이 한창이다. 강원도 및 시군을 중심으로 공청회도 열리고 있다.

공개된 자료를 보면, 강원특별자치도법 개정안의 법제명은 여러 번 수정을 거치고 있는데 「강원특별자치도 설치 및 미래산업국제도시 조성을 위한 특별법 전부개정법률안」이다. 이 법안은 대략 200여 개 조문으로 구성되어 있다. 입법의 목적인 핵심 특례규정은 180여 개이다. 이 법안만 국회를 통과해 원활히 시행되는 경우, 강원도는 명실상부한 특별자치도로 새로운 100년 도약을 준비할 수 있을 것이다.

문제는 실효적인 시행과 이를 위한 국회의 입법이다. 이 법안은 정부 입법으로 추진되는 법안이 아니라 의원발의 형태로 강원도가 추진하는 법안이다. 따라서 정부 입법으로 제출되어 2015년 국회를 통과한 '제주특별자치도 설치 및 국제 자유도시 조성을 위한 특별법'과는 차별화되고, 단계적이며, 신속한 입법전략이 필요하다.

왜냐하면 현재 강원특별자치도법안은 특례를 규정하여 정부 각 부처의 권한을 강원도로 이양하는 등의 입법 내용을 담고 있는데, 입법과정에서 정부 부처의 협의는 필수과정이기 때문이다. '제도특별자치도법'은 정부 부처의 협의를 거쳤고, '강원특별자치도법안'은 정부 부처의 협의를 거치지 않았기 때문에 협의를 거쳐야 하는 큰 장벽이 있다. 6.1 강원특별자치도가 출범해야 하는데 시간이 절대적으로 부족한 이유이다.

강특 법안의 특례규정 180여 개는 주로 인허가 의제, 권한 이양, 육성 정책, 규제 완화, 재정지원 등이다. 이 특례규정은 각 정부 부처의 핵심 업무이고 국가의 권능에 속하는 사항으로 정부 부처의 협의가 필수적이며, 법안의 실효성을 담보하기 위해서도 필요하다. 또한 국회의 입법기준의 하나인 '입법 형평성'을 충족하고 특별법 제정의 원칙을 준수하기 위해서는 기존 개별법에서 정하고 있는 입법 내용과 다르게 특별한 내용과 지위에 관한 사항이 담겨야 하고, 이는 '전라북도특별자치도 법안'과 차별화가 되어야 한다는 것이다.

필요한 경우에는 '제주특별자치도법'을 원용하되, 기존 일반 개별법과는 다르게 특별한 입법목적을 포괄적인 형태로 법리적으로 잘 설정하고, '전라북도특별자치도법안'과는 확실한 차별화를 둔 입법 내용만을 우선 추진해야 한다. 그래야 권고적 일반법을 벗어나 강원도만의 특별한 실효적인 특별법이 탄생할 수 있다. 특례의 내용도 단순한 인허가 의제나 강원도로의 권한 이양, 단순 재정지원 근거를 넘어 법안에 있는 내용처럼 '접경경제특구 지정', '폐광지역 내국인 면세점 설치' 등 지리적, 문화적, 역사적, 경제적으로 특수한 요소를 입법 구성으로 하고, 국가재정 나눠 먹기식이 아니라 자체적으로 재원을 조달하는 형태의 입법 내용이 반영되어야 특별법인 것이다.

특별법은 새로운 것을 지향해서 강원도민을 이롭게 해야 하며, 입법 형평성을 도모하면서 대한민국과 다른 시도와 함께 상생 발전하는 형태로 진행되어야 입법에 성공할 수 있다. 제주도처럼 제주국제자유도시개발센터(JDC·내국인 면세점 운영) 운영 등 특수한 형태의 자체 재원 조달 방법을 도입하거나 접경지, DMZ, 금강산관광, 설악금강권 관광특구, 동해북부권 속초에 강원도 제2청사 신설과 심장·노인과 중심의 서울대병원 속초분원 설치, 남북동해안관광특구 지정, 동해북부선 및 동서고속철도 등 광역교통망의 결절에 따른 설악광역특구 지정 및 설악광역권 발전 종합계획 수립 등 특별한 요소들을 법리적으로 잘 엮어야 한다.

법제 명부터 고민해야 한다. 강원도에 정말 특수한 것을 포괄하는 법제 명이어야 한다. 또한 최근 지방소멸 위기 대응을 위해 상당하고 다양한 내용의 특별법이 국회에서 논의되고 있는 입법 상황을 잘 분석하여 개별법과 충돌되지 않으면서 인구소멸 위기에 있는 강원도에 적용할 수 있는 특별법 내용을 창발하여 반영하는 것도 필요하다. 6.11 강원특별자치도 출범을 위해 지금부터 바로 부처 협의를 진행하고 일반법적인 내용은 지양하며, 입법 효과가 특별해 강원도민과 국가를 위해 시급하고 적정하여 새로운 차원에서 도약을 만드는 법안을 만들어야 한다. 이것이 6.11 출범을 앞둔 강원특별자치도 후속 법안의 최고의 입법 전략이다.

2023년 1월 27일 강원일보

14

민생현안 해결은 고통받는 군사시설보호구역 현안부터 해결하자

3월 19일(일) 오후 2시 속초에서 '강원 동북부 접경지역 군사시설보호구역 등의 정책적 쟁점'을 주제로 한 시민토론회가 개최되었다. 놀랍게도 당초 예상인원을 훨씬 뛰어넘어 여분의 좌석까지 부족한 상황이 되었다. 속초 장사·영랑동, 고성, 양양 비롯한 인제 등 일반 시·군민이 너무 많이 참석하였다. 재산권 침해를 직접 받은 분들과 규제 완화를 통해 살고 있는 지역이 좀 더 발전하기를 희망하는 분들이 많이 오셨다. 이 토론회에서는 눈물 나는 사연과 부당과 합법의 사이에서 고통받고 있는 내용, 구제 절차 문의, 지역 발전 요구 등이 봇물처럼 쏟아졌다.

토론회에서는 지자체가 군부대 점유 공유지를 '기부대 양여 제도'를 통해 반환받을 수 있는 것에 대해 관심이 집중되었다. 또한 군부대 이전 및 유휴토지 등에 대해서는 민관 합동으로 예산 등을 반영한 사업계획서를 관련 부대 및 국방부 등에 제출하여 권리행사를 할 필요성에 대해서도 이목이 집중되었다.

구체적으로는 고성 용촌 통신시설의 이전 문제, 고성 청간정 군부대 이전 문제, 부당한 토지의 징발 문제, 징발 후 유휴화된 토지의 미반환 문제, 징발된 토지의 제3자 매각 문제, 군부대 이전 토지의 효율적 활용 문제, 징발 후 목적 이외로 사용되었거나 미사용된 토지 문제 등의 재산권 침해, 환매권 행사 및 피해보상 등이 집중 거론되었다. 이와 더불어 동서고속화철도와 동해북부선 철도가 신설되는 때에 맞추어 전반적인 군사시설 구역에 대한 조정이 필요하다는 의견과 포괄적인 지역 발전의 측면에서 새로운 설악권 종합발전계획과 규제 완화의 입법을 통한 시스템 개선이 필요하다는 의견 등이 개진되었다.

이번 토론회에서 두 가지 사실적 측면을 인식하게 되었다. 하나는 군사시설보호구역 등의 재산권 침해와 개발 희망이 아무도 이의 제기하는 주체 없이 방치될 수 있다는 것이다. 또한, 강원도내 국방부의 공유지 및 사유지 무단 점유 토지, 미활용 토지가 생각보다 많을 수 있다는 것이다. 그리고 국회에 계류되어 있는 강원특별자치도법안의 통과 여부를 떠나 군사시설보호구역 등에 대한 권리의식과 규제혁신 대상을 일깨웠다는 것이다.

따라서 다음과 같은 정책적인 대응책이 검토될 필요가 있다. 우선, 해당 지역 개인이나 단체 등의 권리 찾기와 규제혁신을 위한 결합된 의지가 필요하다. 둘째, 해당 지자체는 T/F팀을 구성해 관련된 모든 민원을 접수해 이를 유형별로 체계적으로 분류해야 한다. 불법 사항, 입법 사항, 중앙 행정 사항, 지방 행정 사항, 소송 사항, 지역 발전계획 필요 사항, 예산 수반 사항 등으로 분류하고 유형별로 대응해야 한다. 셋째, 무단불법 점유, 법취지 위반 사용, 당초 목적 이외의 사용, 유휴화의 장기방치, 지역민의 부당한 권리침해, 군부대 이전 등 대체가능 등에 대한 전반적인 실태조사가 필요하다. 넷째, 국유재산의 효율적 관리와 재산권 보호의 헌법적 가치를 위해 군사시설보호구역의 설정 및 해제와 군부대 이전, 지역민 수용 보상 및 피해보상 등에 따른 예산 조치가 지자체와 협의 하에 적절하게 이루어지는 시스템이 구축되어야 한다. 다섯째, 개인의 재산권 보호, 군사시설보호구역 등의 설정, 해제, 이전 등을 포함한 미래의 지역 발전 종합계획을 수립하여 큰 틀에서 단계별로 보호구역 설정 및 해제 주체에 대응해야 한다.

2023년 04월 05일 강원일보

15

평화경제의 실현은 평화경제특구 지정으로부터

2023년 5월 25일 '평화경제특구법'이 국회를 통과해 남북 접경지역의 경제 활성화에 대한 접경 지역주민들의 기대가 높아지고 있다. 춘천, 철원, 화천, 양구, 고성, 인제 등 강원도 접경지역은 그동안 군사 규제 등으로 발전이 어려웠는데, 같은 날 국회를 통과한 강원특별자치도법 시행과 함께 이 법의 적절한 활용이 필요하다.

평화경제특구법은 남북 간 경제적 교류를 통한 남북 경제 공동체 실현과 낙후된 접경지역의 경제 활성화 등을 목적으로, 접경지역에 '평화경제특구'를 지정·운영할 수 있는 근거를 마련한 것이다. 이 법은 평화 경제라는 '시대적인 지향성의 의미'가 함축되어 있는 용어를 법률화했다는 측면에서 남북 관계, 접경지역의 경제 등에 시사하는 바가 매우 크다. 강원도 접경지역에 경제 활성화, 군사 규제 완화, 남북 교류 재개 등 새로운 활력을 제공할 것으로 보인다.

평화경제특구는 기본적으로 시·도지사 요청에 따라 통일부·국토교통부 장관이 공동으로 지정한다. 구체적으로 시·도지사는 개발계획을 작성해 이를 제출해야 하고, 지정을 요청받은 경우 통일부 장관과 국토교통부 장관은 평화경제특구위원회 심의·의결을 거쳐 공동으로 지정하게 된다.

특구로 지정되려면 계획을 잘 짜야 한다. 우선, 남북 교류 협력 확대와 남북 경제공동체 형성 촉진에 기여할 가능성이 있어야 한다. 북한이 설치한 경제 특별구역과의 연계 가능성 또는 관광 목적의 평화경제특구의 경우 남북 관광의 연계 가능성도 높아야 한다. 내·외국인 투자의 유치 가능성도 필요하다. 해당 지자체들이 치밀한 전략을 강구하지 않으면 좋은 과실을 얻기 어렵다.

평화경제특구로 지정되면 조세·부담금 감면 및 자금 지원 등 각종 혜택이 주어지는 산업단지나 관광특구를 조성할 수 있다. 입주기업은 국세·지방세 감면, 운영자금을 지원받을 수 있고, 남북교역·경협 사업을 할 때 남북협력기금을 먼저 지원받을 수 있게 된다. 기업이 낙후된 접경지역에 투자할 가능성이 높아지고 지역경제 활성화 가능성이 커지게 된다.

특구 지정 대상 지역은 최종적으로 시행령에서 정하게 돼 있는데, 대상 지역은 '접경지역지원특별법'상 지역으로 정할 가능성이 있다. 그러나 접경지역특별법 시행령에는 속초, 양양 등이 제외돼 있다. 사실상 속초·양양이 접경지역인 고성·인제와 경제·문화공동체라는 면에서 특구 지정 시너지효과를 위해선 속초·양양을 포함시켜야 할 것이다.

이 법은 "평화는 경제다'라는 말을 구현한 것이다. 전쟁이 없는, 적대적인 위협이 없는 평화 상태가 경제 발전을 위한 필요조건임을 대변했다. 평화 상태는 남북 관계 발전과 통일로 이어질 수 있다는 개념도 포함하고 있다. 그런데 같은 날 통과된 강원특별자치도법에는 평화경제특구법에 들어 있는 평화, 평화 경제, 남북 경제공동체 등이 빠져 있어 발전동력 한 축을 스스로 상실한 상태에 있다. 강원자치도는 당분간 평화경제특구법을 잘 활용해야겠지만 어느 시기가 지나면 평화경제특구법의 평화경제 내용을 강원특별자치도법에 가져와야 할 것이다.

그렇게 되면 고성, 인제 등 설악권뿐만 아니라 강원도 전체 성장 발판을 통해 균형발전 토대 등이 마련될 것이다. 또 강원특별자치도법이 단순히 권한을 이양받는 분권법이 아니라 분권을 통해 실체적으로 도민에게 정(+)의 효과를 주도록 틀을 잘 만드는 데에도 이 법을 모델로 활용할 수 있다.

특히, 속초, 인제, 고성, 양양 등은 2008년 7월11일 금강산 관광 중단으로 큰 피해를 봤는데, 지원특별법이 제정되지 않아 아무런 지원도 받지 못하는 상황이 지속돼 왔다. 따라서 평화경제특구법은 이를 고려해 고성 등에 특구 지정이 빨리 이뤄지도록 해야 하고, 향후 금강산 관광 재개 등과 연계해서라도 특구 지정이 원활히 이뤄져야 한다. 2027년 동서고속화철도와 동해북부선이 신설되는 설악광역권 시대, 강원특별자치도 시대에, 관련 지자체가 이를 잘 활용해 새로운 성장동력을 만들어 가길 기대한다.

2023년 9월 13일 강원일보

16

속초연탄은행과의 협력, 따뜻한 나눔과 배려의 실천

　설악광역포럼, 미래정책연구소(대표 박상진)는 11월21일 16년간 저소득층, 장애인, 독거노인, 조손가정의 따뜻한 겨울나기를 위하여 연탄을 무료로 공급하고 있는 속초연탄은행을 방문하여 포럼을 가졌다.

　이 자리에는 미래정책연구소 박상진 대표를 비롯한 설악광역포럼 회원들과 김상복 속초연탄은행 대표가 참석하였으며, 주요 내용은 코로나로 인해 자원봉사자가 급격히 줄어든 현장의 문제점을 함께 고민하고 해결 방안을 찾기 위해서였다.

　포럼에서는 지난 16년간 2만여 자원봉사자들이 참여해 100만여 장의 연탄을 공급한 발자취와 코로나로 인하여 직면하고 있는 애로사항을 함께 고민하고 함께 해결 방안을 모색해 가기로 하였다.

　속초연탄은행은 2005년 연탄은행 11호점으로 지정되어 저소득층, 장애인, 독거노인, 조손가정 52가구를 대상으로 연탄 무료 공급 사업을 시작하여, 2006년 정식인가를 받아 현재 300여 가구에 연탄을 무료 공급하고 있다. 하지만 코로나 이전 단계에선 2천여 자원봉사자가 참여하여 매년 13만여 장을 공급하였으나, 코로나 시국으로 접어들면서 단체 자원봉사 인력이 급감하여 겨울은 성큼 다가왔음에도 공급에 어려움을 겪고 있다고 했다.

　또한 연탄을 공급받는 대부분이 노인가구로 구성되어 쌀, 마스크, 생활 약품까지 확대 공급하고 있으며, 쌀 화환 전달하기 운동도 펼쳐 행사가 끝난 후 쌀을 기부받아 노인가구에 전달하고 있어 전국의 모범적인 봉사단체로 그 명성을 높여가고 있다.

　특히 김상복 대표는 2016년 울릉도 저소득층에게도 연탄 1만장과 쌀 200포를 시작으로 매년 1천만원 상당을 후원·지원하여 오지인 고향 울릉도를 위하여도 봉사하고 있다.

한편, 속초시의 원활한 연탄공급을 위하여도 연탄공급 전담봉사회(20명)를 결성하여 자원봉사자가 참여하는 현장을 지원하는 한편, 자원봉사자가 끊어질 때를 대비하여 그 빈 공간을 전담봉사회로 대처하고 있었다. 그럼에도 코로나 여파로 자원봉사 참여자가 줄어들고 있어 연탄공급 목표량에 훨씬 못미치고 있는 실정이다.

이에 미래정책연구소 박상진 대표는 코로나 시대의 자원봉사자 확보를 위해선 지자체의 관심 유도와 유관 기관들의 참여를 끌어내기 위해선 '자원봉사 기관 릴레이' 운동을 전개할 필요가 있다고 하였으며, 본인도 모든 역량을 발휘해 속초연탄은행의 연탄공급이 원활히 이루어질 수 있도록 협력·후원단체의 확보와 자원봉사에 적극 참여하기로 하였다.

2021년 11월 22일 보도 참고 자료

17

연탄배달은 사랑과 나눔의 실천적인 배달이다

설악권 봉사단체인 설악의 메아리(대표 박동수)는 속초연탄은행(회장 김상복), 설악광역포럼(대표 박상진) 회원들과 함께 속초시 노학동 인근 취약계층에 대해 연탄 2,000장을 전달하였다.

이 행사에는 설악의 메아리 회원 30여 명과 설악광역포럼 등(대표 박상진) 회원들이 참여해 직접 2,000장의 연탄을 지게 등을 통해 전달하였다.

이 연탄배달에 직접 참여한 박상진 예금보험공사 상임이사는 "동해안 바닷바람이 무척이나 매서운 겨울 속초에 연탄 한 장이 추위를 녹이는 따뜻한 봄바람이 되길 기대한다"라고 밝혔다.

그러면서 박 상임이사는 "내년 4월까지 이어지는 연탄봉사활동이 노동을 통해 마음을 나누는 실천 운동으로 속초 전역에 더욱 확산되길 바란다"라고 소감을 밝혔다.

특히 박 상임이사는 "연탄을 배달할 봉사 인원이 점점 줄어 안타깝다"라고 하면서 "조금이라도 도움이 되기 위해 계속 연탄봉사활동에 참여할 예정인데, 많은 분들의 참여가 절실하다"라고 당부했다.

2021년 12월 11일 보도 참고 자료

18

부족하지만, 그리고 다 하지 못한 지역사랑 이야기

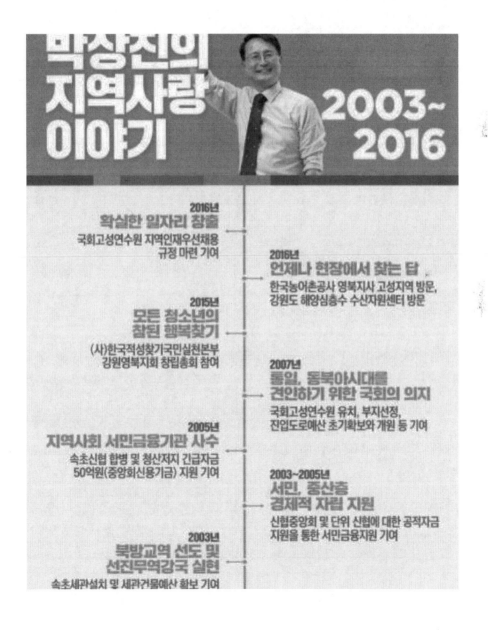

박상진의 지역사랑 이야기 2003~2016

2016년 확실한 일자리 창출
국회고성연수원 지역인재우선채용 규정 마련 기여

2016년 언제나 현장에서 찾는 답
한국농어촌공사 영북지사 고성지역 방문, 강원도 해양심층수 수산자원센터 방문

2015년 모든 청소년의 참된 행복찾기
(사)한국적성찾기국민실천본부 강원영북지회 창립총회 참여

2007년 통일, 동북아시대를 견인하기 위한 국회의 의지
국회고성연수원 유치, 부지선정, 진입도로예산 초기확보와 개원 등 기여

2005년 지역사회 서민금융기관 사수
속초신협 합병 및 청산저지 긴급자금 50억원(중앙회신용기금) 지원 기여

2003~2005년 서민, 중산층 경제적 자립 지원
신협중앙회 및 단위 산협에 대한 공적자금 지원을 통한 서민금융지원 기여

2003년 북방교역 선도 및 선진무역강국 실현
속초세관설치 및 세관건물예산 확보 기여

박상진의
지역사랑
이야기 2017

2017년
세계 동계축제 성공개최 탄력
평창동계올림픽 예산 추가 증액에 기여
평창및 강릉 올림픽경기장 현장 방문

2017년
국제 교류협력 활성화 노력
국회 한중미래발전연구회 한중동반성장
모색 강연회, 고성연수원 방문

2017년
경찰관들의
안전한 근무환경 조성
강원경찰청 노후건물재정비예산 확보 기여
속초경찰서 리모델링비용 지원 기여

2017년
언제나 현장에서 찾는 답
속초경찰서, 속초소방서 등 방문
양양군청, 고성군청, 고성소방서 등 방문

2017년
신뢰받는 법질서
더 나은 내일
속초교도소 신축현장,
강원도환동해본부 속초사무소 방문

2017년
취약계층 지원,
지역사회 공헌 보답
중증장애인시설 생산품생산시설에 대한

박상진의 지역사랑 이야기 2018

2018년
겨울가뭄 극복 노력활동
속초상수도현대화사업,
속초쌍천지하댐사업 확보 기여

2018년
안전한 양양,
양양경찰서 신설 숨은 주역
양양경찰서 신설 등에 기여

2018년
지역경제 활성화 등
지역현안 논의
속초세관 고성제진남북출입사무소 및
속초항국제크루즈터미널 방문

2018년
국내 최초 해중경관지구 지정
고성해중경관사업예산 확보 등 기여

2018년
범죄 없는 밝고 건강한 사회
구현 노력
속초보호관찰소 신축예산 확보에 기여

2018년
산악강국
산악문화공간 재조명
속초산악박물관 인공암벽장예산 확보 기여

2018년
재테크는 계속,

박상진의
지역사랑
이야기

2018~2019

2019년
고성산불피해 지원의
숨은 주역
소상공인 재기지원 305억원 국회 증액 기여

2019년
강한 국립대학,
재정건정성 확보 토대 마련
국립대학법인 서울대학교 비과세 대상
전환 기여

2019년
침식피해로 신음하던
속초해수욕장 백사장 사수
속초해수욕장 헤드랜드
조형물설치사업예산 확보 기여

2018~2019년
잊을 수 없는 고향,
전국 실향민 위로의 장
속초실향민역사문화축제 초기예산 확보 및
경비증액 기여

2018년
환동해권 크루즈시장
선점 밑바탕 조성
속초크루즈터미널 운영시설
증·개축비예산 확보 기여

2018년
남북교류에 준비된 속고양,
관광 활성화 토대 마련
속초항 신부두 보수·보강예산 확보 기여

2018년
강원도의 중심지로 굳건하게
속초여객터미널 추가신설예산 확보 기여

제3장
이제야 움트는
새롭고 바른 정치와
지역의 진정한 미래

01

산불 피해 지원 예산 305억 당초 취지대로 집행하라

올 4월 발생한 고성, 속초 등 동해안 산불로 인한 피해 복구를 지원하기 위해 8월에 통과한 추경 예산안에 증액 반영된 예산인 '소상공인 재기 지원 예산 305억원' 가운데 집행되지 못할 수 있는 약 180억원의 처리 방향에 대해 논란이 증폭되고 있다. 305억원의 예산 증액에 관여한 필자의 입장에서 아쉬운 점과 논란이 되고 있는 약 180억원의 처리 방안에 대해 살펴보자.

첫째, 가장 아쉬움이 남는 부분은 올 4월 추경 예산안의 정부 편성 단계에서 산불 피해 관련 직접지원 예산이 반영되지 못했다는 것과 지난 산불 피해 직접지원 근거를 마련하는 법안이 통과되지 않은 채 추경 심사가 이뤄졌다는 점이다.

둘째, 소상공인 재기 지원 예산인 305억원의 국회 통과 시 예산집행의 구체적인 방향을 포함시킬 수 있는 '부대의견'도 함께 통과됐어야 했는데 그렇지 못한 것은 너무나 큰 아쉬움이 남는다. 셋째, 예산집행의 초기 단계인 중소벤처기업부의 305억원에 대한 사업계획 초기 수립 시 산불 피해 소상공인의 요청과 국회의 의결 취지가 반영됐어야 했다. 그렇다면 현 단계에서 305억원의 예산이 온전히 국회 의결 취지대로 행정부가 집행할 수 있도록 하는 방안에는 어떠한 것이 있는가.

우선, 산불 피해 이재민 및 소상공인의 피해에 대한 직접지원 근거를 마련하기 위해 제출된 법안을 국회에서 통과시키고 예산 협의를 거쳐 305억원을 직접지원 방식으로 집행하도록 하는 방안을 검토할 수 있다. 다음으로는 기재부와 중소벤처기업부의 예산

집행 지침 등을 국회의 예산의결 취지를 감안하여 변경하는 것이다.

정부와 국회 등은 국회의 의결 취지를 직접적·명시적으로 감안해서 상호 간의 협의를 통해 180억원이 직접 지원비 등으로 원활히 집행되도록 예산 집행 지침 등을 변경하는 등의 방안을 검토할 수 있을 것이다.

또 올 12월까지 사업계획을 수립하는 것이 어려운 측면을 감안해 305억원 중 180억원에 대해서는 불용 처리하되 같은 금액인 180억원을 2020년 예산에 증액 반영해 사업을 2020년에 효과적으로 추진하도록 하는 것이다. 예산 증액 과정에서 정치적인 합의가 필요하고 신규 반영되는 180억원의 예산 증액 의결 시 '부대의견' 등을 통해 사업 목적을 명확히 하면 될 것이다.

이와 함께 소상공인 등에 대한 직접지원 근거 관련 법을 우선 통과시키고 180억원을 불용 처리하는 한편, 2020년 예산안에 동 금액을 직접 지원 예산 또는 강원도로 이전하는 예산으로 신규 증액 반영하는 것이다. 당초 2019년 추경안 국회 심사 시 강원도 요청안과 동일하게 강원도로 이 예산을 이전하는 항목을 신설하는 방안을 검토할 수 있다.

2019년 11월 18일 강원일보

02

설악의 꿈을 함께 이루어 나갈 지역위
지역대의원대회 성공적 개최

더불어민주당 속인고양(속초·인제·고성·양양) 지역위원회(위원장 박상진)는 7월 26일 오후 7시 30분 제1회 지역대의원대회를 개최하였다.

112명의 대의원 중 75명 이상이 참석하는 등 그동안 속인고양(속초·인제·고성·양양)에서 보지 못했던 민주당 지역대의원 대회의 새로운 모습을 보여 주었다.

속인고양(속초·인제·고성·양양) 지방의회 의원이 거의 참석하였으며, 새로 위촉된 고문단 10명이 모두 참석하여 열기를 더했다. 이 대회에서는 총 36명의 전국대의원을 선출하였다. 박상진 위원장은 "지역대의원님들은 우리 지역위의 현재이며, 미래의 강력한 힘이 될 것이다"라면서 "지역대의원이 없다면 우리 민주당 지역위도 없을 것이다" 라며 정당 풀뿌리로서 대의원의 역할이 가장 중요함을 강조하였다.

또한 박 위원장은 강한 민주당, 이기는 수권정당을 만들기 위한 5가지 지역위 운영 방향을 밝혔다. 5대 방향은 쇄신과 통합, 권리당원 중심 조직, 열린 민주적 조직, 품격 있고 신뢰받는 조직, 탕평과 포용 및 상생하는 조직이다.

박상진 위원장은 "우리 지역위가 설악권을 변방에서 중심으로 이끌고, 설악의 꿈을 이루게 할 것이며, 국가와 지역의 새로운 질적 발전에 결정적 기여를 할 것이다"라면서 "신뢰받고, 민심을 제대로 대변하는 유능한 조직으로 거듭나게 할 것이다"라고 밝혔다. 또한 "새로운 출발, 새로운 각오로 속인고양(속초·인제·고성·양양) 민주당을 부활시키고 선거에서 이기는 설악권 민주당 시대를 다 함께 열어가자"라고 주장했다.

2022년 7월 26일 보도 참고 자료

03

깨어있는 설악금강권 시민들의 조직된 힘이
바로 필요한 역사 앞에 서다

어제(5.16) 강원특별자치도 설치 법안이 국회 행정안전위원회 전체 회의를 통과했습니다. 어제 이 법안이 통과된 것은 결정적으로 이광재 후보께서 출마의 조건으로 이 법안의 통과를 내걸었고, 절대 과반인 민주당이 이를 전격으로 수용했기 때문입니다. 지난번 이후보께서도 참석한 2.9 고성에서 열린 '설악금강권 광역발전 대토론회'에서는 30만 설악광역 도시권 조성 등 장기 발전 전략이 제시되었습니다.

그리고 5.15 오후 이광재후보께서는 속초에서 설악 금강권 광역 발전 비전을 선포하였습니다. 속초·고성·양양·인제를 칭하는 ▲ 설악금강권 개념을 전면에 내세웠고, 인구 규모를 토대로 한 새로운 포괄적 지역 발전 전략인 ▲ 30만 설악·금강권 광역 발전 전략을 강력히 표방한 바 있습니다.

어제 이광재 후보의 설악금강권 공약을 실현시킬 토양과 입법 틀인 「강원특별자치도법」 안이 행안위를 통과한 것입니다. 이광재후보가 거의 하셨다고 하면 과잉일까요. 아닙니다. 이 후보께서는 다 생각이 있으셨습니다. 실사구시, 도광양회를 기반으로 때를 기다렸고 이제 때가 된 것입니다. 이제 설악금강권 시민들은 세상의 중심 나아가야 할 역사적 찬스를 맞이하고 있습니다. 변방이냐 중심이냐를 선택할 기로에서 누구를 선택할지는 더더욱 명약관화합니다.

오늘 18시 속초 사무소 개소식에 구름떼처럼, 태풍처럼, 인산인해를 통해 행동으로 실천해야 합니다. 이광재에게 답해야 합니다. 그리하여 설악금강권의 큰바람이 강릉과 동해 삼척을 넘어 영서까지도 뒤덮을 수 있도록 해야 합니다. 감사합니다.

2022년 5월 17일

04

고성 민주동우회, 민주주의와 고성발전의 버팀목, 존경하고 사랑합니다!

강원 고성 소재 "고성민주동우회'는 2022년 2월 15일 오후 3시 교암사무소에서 〈고성민주동우회 정책간담회〉를 개최하였다. 이 정책간담회에서는 설악금강권과 대한민국의 새로운 변화와 발전을 위해 고성민주동우회의 역할이 매우 중요하다는 공감대를 이룬 것으로 알려졌다. 설악광역포럼 박상진 대표(전 국회 차관보급 수석전문위원)는 지난 2월 9일 고성에서 개최된 "설악금강권의 광역 발전 전략 대토론회'의 핵심내용을 설명하였고 이를 토대로 간담회가 진행되었다.

간담회에서는 설악금강권의 발전을 위해서는 평화경제를 기본 토대로 금강산관광재개, 강원도평화특별자치도법의 제정, DMZ와 접경되어 있는 현내면 등 접경지역에 대한 개발이 필요하다는 데 의견을 모은 것으로 전해졌다. 특히, 김대중 대통령때 수립된 '설악금강권 관광개발계획'의 실현, 고성지역의 국민 휴양 특구 지정과 동해북부선의 관광열차 기능 강화를 위한 복선화, 지역경제 파급효과와 연계한 동해고속도로 고성 구간 연장 등이 반드시 시행되어야 한다는 데 뜻을 함께하기로 한 것으로 알려졌다.

고성민주동우회 김시혁 회장은 "간담회에서 뜻을 모은 지역 발전 정책이 실현되도록 하기 위해 구체적인 실천 운동을 전개하는 데 노력할 예정이다"라고 밝히면서 "이 정책이 대선 공약에 채택되고, 대선 이후에도 정책에 반영되어 시행되도록 하는데 모든 역량을 다하겠다"라고 말했다. 고성민주동우회는 2018년 설립된 강원도 고성 소재 비영리단체로서, 회원은 고성지역 등에서 오랫동안 진보적인 성향을 가지고 열성적으로 활동한 민주 당원으로 구성되어 있으며, 현재 회원은 총 80여 명이다.

2022년 2월 16일 보도 참고 자료

05

인제의 더 큰 변화와 발전, 더민주 인제
자치분권 정책협의회와 함께

　더불어민주당 속초인제고성양양 지역위원회(위원장 박상진)는 22.11.23(수) 11:00 인제군청 회의실에서 인제 자치분권정책협의회를 개최하였다.

　박상진 위원장(협의회 의장)은 "이번 개최는 거의 최초로 속인고양(속초·인제·고성·양양)에서 열리는 더불어민주당 지역 정책협의회로서 정책정당을 통해 지역민의 신뢰를 받고 선거에서 이기는 지역위를 만들기 위해 개최되었다"라고 하였다.

　인제군 주요 현안을 직접 설명한 최상기 인제군수는 "동서고속화철도 역세권 개발, 설해원 관광단지 조성을 통한 관광산업의 획기적 육성, 체류형 관광지로의 전면적 전환, 한반도 DMZ 평화 생물자원관 예산확보, 국도 31호선 대체 노선 선형 개량 조속 추진, 인북천 흙탕물 저감 시설 설치 등의 사업에 대해 반드시 성과를 내도록 하겠다"라면서 "박상진 지역위원장, 이춘만 인제의회의장, 조춘식 인제의회부의장, 신동성·이수현 인제의원뿐만 아니라 4개지역 연락소장을 비롯하여 회의에 참석한 핵심 당원들이 적극적으로 도와달라"라고 했다.

　참석자들은 인제군과 설악권의 발전을 위해 지역위와 인제군의 협력 강화, 군수 및 인제 의원에 대한 전폭적인 지원, 타 지역과의 광역적 발전 도모, 신재생 에너지 등 100년 미래를 대비하는 환경정책 강화, 평화경제로의 지속적인 방향 설정 등에 대한 의견에 공감대를 이루었다. 박상진 위원장은 "지역주민인 당원이 지방자치단체와 협력해서 지역 발전의 주축이 될 수 있다는 가능성을 보여준 사례로서 예산확보 등 실질적인 공헌이 이루어지도록 하겠다"라고 밝혔다.

2022년 11월 23일 보도 참고 자료

06

어르신이 이룬 설악권의 발전, 더민주
원로위원회가 더 힘차게 미래로

더불어민주당 속초인제고성양양 지역위원회(위원장 박상진)는 22.12.05(월) 11:00 속초 마레몬스호텔에서 원로위원회의 창립총회를 개최하였다.

이 원로위원회(위원장 윤장원)에는 속초 인제 고성 양양 4개시군 민주당 성향의 노인들 70여명이 원로회원으로 활동하고 있다. 이날 창립총회에는 4개시군 원로회원 40여명과 민주 당원 40여명 등 80여명이 참여하여 성황리에 행사가 개최되었다.

원로위원회 윤장원 위원장은 "개별로 활동하시던 원로들을 결집시켜 서로에게 힘이 되고 반려자가 되도록 하면서 국가와 지역의 발전에 공헌하도록 하고자 하였다"라고 소감을 밝혔다.

기념사를 한 박상진 지역위원장은 "이번 원로위원회의 출범은 민주당 더 나아가 지역 정치 역사상 최초의 큰 사건이며, 고령층이 보수화된 설악권 험지에서 선거에서 이기는 조직, 민심의 신뢰를 받는 조직을 만드는 데 큰 힘과 버티목이 될것이다"라면서 "민주당이 민생정당으로서 새로운 대한민국과 설악권의 발전을 도모하는 데 결정적인 역할을 할 것이다"라고 밝혔다.

한편, 축사를 한 김우영 도당 위원장은 "원로위의 출범은 대단하고 엄청난 일로 민주당의 새로운 역사로 기록될 것이며 도당 차원에서도 이를 벤치마킹하여 원로들의 정치 참여를 확대해 나가겠다"라고 놀라움을 표시하며 말했다.

이날 행사 말미에는 김유신 원로고문이 결의문 낭독을 통해 설악권의 새로운 민주당 부활을 위한 결의를 다졌다.

2022년 12월 5일 보도 참고 자료

07

설악광역권 100년 비전과 민생책임은 더민주 민생정책특위가

더불어민주당 속초인제고성양양 지역위원회(위원장 박상진)는 22.12.21(수) 16:50 속초마레몬스호텔에서 '설악광역권 100년 비전 및 민생정책특별위원회'의 출범식을 개최하였다(40여명 내외 참석 예정).

이 정책특위는 김영식 강릉원주대 교수와 박상진 지역위원장이 공동위원장을, 이지영 강원도 의원이 간사위원을, 속초인제고성양양별 지역 정책전문가가 정책실장을, 지역별 및 분야별 50명이 특위 위원을, 서울대 김광묵 교수가 재정, 예산 및 정부혁신 분야를, 국민대 윤재은 교수가 도시계획, 광역교통망, ESG 및 지역경제 분야를, 한림대 이기원 교수가 정치개혁 및 지방소멸 분야를, 한상우 전 법제처 경제국장이 강원특별자치도법 개정, 규제 혁파, 세제 및 기업지원 등 분야를 맡는 등 5명의 정교수급 전문가가 자문위원으로 위촉되었고, 자문과 강연 등을 할 예정이다.

이 정책특위는 설악권 및 국가의 주요 이슈 주도와 강한 정책 정당화를 통해 지역위가 선거에서 이기는 조직, 신뢰받는 조직으로 혁신하는 데 중추적 역할을 담당하는 데 기여할 전망이다. 속인고양(속초·인제·고성·양양) 지역위원회에 설치되는 정책특위는 지역 당원조직과 지역 정치사에 드문 사례로 보여져 앞으로의 활동이 주목된다.

박상진 위원장은 "민간 영역의 정책 연구가 거의 부재한 설악권 지역의 정치혁신, 지역경제, 사회변화, 문화 확대, 광역교통 대비, 관광산업, 토종자본, 미래 먹거리, 지역 개발, 도시문제, 교육, 복지, 농업, 어업, 인구, 남북문제 등의 분야에 대한 정책현안을 다뤄, 우리 지역위가 정책 아젠다와 비전을 제시하고 정책비판을 통한 정책대안 제시 및 주기적인 공론화의 장을 마련함으로써 정책 정당화 및 지역사회 발전에 선도적 역할을 강화할 것이다"라고 소감을 밝혔다.

　이 특위는 4개 시군 단체장과 정책협의 추진, 설악권 지역 주요 현안 파악 및 정책 언론 브리핑 실시, 설악권 현안에 대응한 정책 개발 및 대안모색, 설악권 입법 및 예산 정책 파악 및 의견수렴, 설악권 현안 해결을 위한 단체장·지방의회 및 중앙당·국회와의 협력체계 구축, 정책현안 토론회 및 세미나 개최, 정책·정치 현안 강연회 개최, 민생현장 및 기관 방문을 통한 '찾아가는 민생정책토론회' 개최, 설악권 주요 정책현안 자료집 및 홍보자료 발간·배부 등의 사업을 전개해 나갈 예정이다.

2022년 12월 21일 보도 참고 자료

08

새해맞이 행사로 진정한 민심의 신뢰를 얻자

   더불어민주당 속초인제고성양양 지역위(위원장 박상진)는 2023년 1월7일(토) 아침 8시 신년 첫 행사를 "설악권 지역 봉사 플로깅(Plogging)"으로 실시함으로써 민심의 신뢰를 받고 더 가까이 주민에게 다가가기 위한 힘찬 발걸음을 시작했다.

   속초 청호동 갯배 일원에서 열린 지역 봉사 플로깅 행사에는 30여명의 핵심 당원과 일반인 그리고 설악광역포럼이 참여했다. 박상진 지역위원장을 비롯하여 신선익·방원욱·최종현 속초시 의원, 주대하 전 도의원, 박동수·박범진·김진영 대표, 김혜진 활빈회 대표, 김두휘·김길수 연락소장, 신솔 청년위원장 등이 참석했다.

   이 행사의 인사말을 통해 박상진 위원장은 " 추운 겨울 바다 여기 서 계신 분들이야말로 자랑스러운 민주 당원이며 속초시민이고, 설악권 지역 발전의 헌신적 선구자"라고 말했다.

   박상진 위원장은 "지역위의 신년 인사를 지역 봉사로 대체함으로써 설악권에서 정당의 사회적 공헌 기능을 복원하고, 당의 결집력을 이끌어 우리 지역위가 국가와 지역사회에 더욱 헌신하는 한 해를 만들기 위한 첫걸음을 시작했다"라면서

   "이 행사에 주기적이고 지속적으로 참여해 민심의 신뢰를 얻고 탄탄한 조직 기반을 만들어 종국적으로 대한민국과 설악권의 미래 발전에 기여하는 조직으로 거듭나겠다"라고 다짐하면서 신년 인사를 대신하였다.

   박상진 지역위원장은 최근 (사)한국ESG학회 부회장에 선임되어 이번 플로깅 행사와 동시에 설악권 지역 청정 환경의 지속가능한 유지·발전을 위한 활동에도 전념할 것으로 보인다.

   2023년 1월 7일 보도 참고 자료

더불어민주당 속초·인제·고성·양양 지역위원회(위원장 박상진, 속초당협)
속초 청호동 일원 지역봉사 플로깅 행사
•일시 : 2023. 1. 7(토) 08:00 •장소 : 속초 청호동 일원

09

책임 국가와 민주국가의 기초는 이태원 참사 국정조사로부터

존경하는 국민과 강원도민 여러분!

더불어민주당 속초인제고성양양 지역위원장 박상진입니다.

오늘 오후 우리는 강원도 춘천 이곳 역사의 광야에 결연히 서 있습니다.

그 이유는 아주 간단합니다.

보통 국가, 기본국가를 만들기 위해서입니다.

이태원 참사에 국가는 어디에 있었습니까.

국가는 없었습니다. 158명의 꽃다운 생명이 희생되었습니다.

그런데 여전히 국가는 보이지 않습니다.

아무도 책임지지 않습니다.

참사의 원인이 무엇인지 알수 없습니다.

재발방지책의 방향도 보이질 않습니다.

 누가 국가를 바로 세워야 합니까.

바로 우리가 세워야 합니다.

국정조사를 실시해야 합니다.

이태원 참사에 대한 진실규명과 책임자 처벌

그리고 재발 방지책를 마련해야 합니다.

셀프수사는 윤석열 정부의 책임회피와 진실을 은폐하고 있습니다.

경찰만, 하위직만 단두대에 세울 것입니다.

 이제 윤석열 정부의 책임회피와 진실 은폐를 더 이상 두고 볼 수 없습니다.

국정조사와 특검으로 모든 진실을 밝혀내고 책임을 물어야 합니다.
미래의 안전한 대한민국, 국민을 위한 국가, 책임지는 국가를 만들어야 합니다.
국정조사가 반드시 실시되어야 하는 이유입니다.
진정으로 보통 국가, 기본 국가로 가는 길입니다.
(구호) 진상규명 국정조사,
성역 없는 수사 특검!
범국민 서명운동, 나라를 살립니다.

2022년 11월 15일 보도 참고 자료

10

오직 국민의 생존권과 생명·안전을 위해 서명
발대식을 개최하다

더불어민주당 속초·인제·고성·양양 지역위원회(위원장 박상진)는 6.5(월) 속초 관광
수산시장 등에서 '후쿠시마 원전 오염수 해양투기 반대 서명운동'을 벌였다. 박상진
지역위원장, 방원욱 속초시 의원, 윤재희 전 지역위원장, 김두휘 속초연락소장, 김길수
양양연락소장 등이 참석한 가운데 서명 운동이 실시되었다.

박상진 위원장은 "후쿠시마 오염수 방류의 직격탄은 동해안 특히 속초가 가장 클
수 있다"라고 하면서 "후쿠시마 오염수 문제는 정당과 이념의 문제가 아니라 국민의
생존권과 생명·안전의 문제로 국가가 이에 적극 대응해야 한다"라고 말했다.

2023년 6월 5일 보도 참고 자료

11

강특법은 강원도와 설악권의 삶의 희망을 위해 제대로

더불어민주당 속초인제고성양양 지역위원회(위원장 박상진) 민생정책특별위원회는 23.2.11(목) 14:00 속초근로자종합복지관에서 '강원특별자치도 법안의 쟁점과 입법과제 시민토론회'를 성황리에 개최했다.

이 토론회에는 그동안 사례와 달리 회의장 140석 중 120여명이 참석할 정도로 참석 열기가 뜨거웠다. 또한 토론 시간에는 객석의 일반 시민의 질의가 끊이질 않아 당초 시간을 넘어선 가운데 질의를 중단시켜야 하는 상황까지 발생한 것으로 알려졌다. 또한 박상진 지역위원장 인사말, 김우영 민주당 도당위원장과 함명준 고성군수의 축사가 진행되었다.

박용식 강원도 특별자치국장의 법안에 대한 설명에 대해 시민들은 설악권과 동해안 입법과제의 과도한 제외, 과잉 개발의 차단 대책, 규제로 인한 설악권 피해에 대한 보상책, 복지행정의 신규 필요성 절실, 평화 경제 개념의 추가 신설, 설악권 의료와 교육에 대한 특별대책, 접경지 경제특구 제외의 문제, 설악금강권 계획 수립, 설악광역권 발전 종합계획 수립, 조세감면과 일자리 창출 연계 대책, 설악권 시군 통합의 선행 필요성, 부처 미협의로 인한 국회 통과 곤란 등을 제기하면서 장밋빛이 아니라 실제로 주민의 삶의 질을 개선하도록 법안이 잘 통과되기를 기대했다.

박상진 위원장은 "이번 행사는 정당이 권력 획득을 위한 활동만 하는 것이 아니라 변방인 이 설악권 지역에서 입법과 예산의 구체적 대안을 제시하고, 주민이 원하는 정책구현을 주민과 함께 가능하도록 하는 첫 사례로 기록될 것이고, 주민의 의견이 정당을 통해 함께 반영되는 이 과정이 우리가 바라는 참여민주주의, 상향적 의사결정,

생활 정치를 구현하게 할 것이며, 주민이 제대로 입법과정에 참여하게 되는 사례가 될 것이다"라면서, 2.6 국회에 발의된 강원특별자치도법안의 통과는 여야를 넘어 모두가 힘을 합쳐야 가능하다는 면에서 설악권 시민들의 힘도 보탤 필요가 있을 것이다"라고 말했다.

그리고 박위원장은 "입법과 예산정책의 과정에 주민이 소외되는 경우가 많은데, 특히, 설악권의 경우는 더욱 소외받는 지역일 수 있어, 현재와 미래에 주민의 삶과 지역의 발전에 중대한 영향을 미칠 수 있는 강원특별자치도 법안에 대해서는 당연히 우리 설악권 주민들이 알아야 하고, 절실히 필요로 하는 정책 사항은 입법과정에 반영되도록 해야 할 것"이라 말하면서,

"앞으로도 헌신과 희생을 바탕으로 우리 지역에서 민주당이 할 수 있고, 우리 시민이 원하는 것과 원하는 것을 찾아내 끊임없이 지역주민, 중앙당, 국회, 강원도와 협력하여 지역 발전에 일로매진하는 지역위가 되도록 노력하고, 지역위원회가 새로운 설악권 시대를 열어가는 데 시민들과 함께 앞장서 나가겠다"라고 인사말을 하였다.

2023년 2월11일 보도 참고 자료

12

강특법에 반드시 반영되어야 할 입법과제를 건의하다

더불어민주당 속초인제고성양양 지역위원회(위원장 박상진)는 2023년 2월 11일 오후 2시 속초시 근로자복지회관에서 '강원특별자치도법안의 쟁점과 입법과제 시민토론회'를 개최하였는바, 이 토론회에서 제기된 설악권 시민들의 의견을 모아 전달하오니 강원특별자치도법안에 반영될 수 있도록 조치해 주시면 감사하겠습니다.

2023년 2월 13일(월)

■ 총괄 건의 내용

1. 설악권과 동해안 입법과제의 과도한 제외

2. 과잉 개발의 차단 대책

3. 규제로 인한 설악권 피해에 대한 보상책 동시 검토

4. 복지행정의 신규 지원 규정 필요성 절실

5. 평화경제 개념의 추가 신설

6. 설악권 의료와 교육에 대한 특별대책

7. 접경지 경제특구 제외의 문제

8. 설악금강권 계획 수립

9. 설악광역권 발전 종합계획 수립

10. 조세감면과 일자리 창출 연계 대책

11. 설악권 시군 통합의 선행 필요성

12. 부처 미협의로 인한 국회 통과 곤란 등을 제기

13. 장밋빛이 아닌 실제로 주민의 삶의 질을 개선하는 법안의 필요성

■ 세부 건의 내용
 1. 칡소의 탄소 배출권 문제 해결책 필요
 2. 동해안 항만의 중요성 인식 및 항만공사 설치 필요성
 3. 인구소멸 대응을 위해 속초를 30만 설악광역권 중심지로 육성 필요
 4. 인구소멸 대응을 위해 연금, 조세감면 이외에 청년 맞춤형 일자리, 지방대학 육
    성, 수도권대학 이전, 세대별 맞춤 교육 등의 정책 동시 병행 필요
 5. 의료인 없는 영동권의 심각성 반영을 위해 원격진료 필요
 6. 속초의료원의 응급 대응능력 제고를 위한 체계 구축 필요
 7. 과도한 개발방지책 마련과 양양 군 소초 등의 이전 및 규제 완화 등 필요성
 8. 이양받는 도지사의 과도한 권한의 적정한 행사 문제
 9. 강원형 자율학교가 제주도와 차별화되는 것이 필요
10. 접경지 경제특구의 필연적 설치의 필요성
11. 설악금강권특구 내에 서울대 속초분원 필요성

13

역사적인 대장정, 더민주 양양 당협의 위대한 발대식

더불어민주당 속초인제고성양양 지역위원회(위원장 박상진)는 23.2.25(토) 15:00 양양 을지인력개발원에서 '더불어민주당 속초·인제·고성·양양 지역위원회 양양군 당원협의회' 발대식을 개최하였다. 이 발대식에서는 양양군 당원협의회 임원에 대한 지역위원장의 임명장 수여, 김길수 연락소장의 양양군 당원협의회의 비전 발표, 안미영 여성위원장 및 김명진 소상공인소통위원장의 결의문 낭독이 있었다. 당협 위원장은 박상진 지역위원장이 당연직으로 맡고, 김정중 도당 부위원장이 당협의 수석부위원장을, 이종률 전 양양 군수 후보가 당협의 선거준비위원장을 맡아 활동하고, 24개 상설위원장이 기능별로 양양 당협을 이끌게 된다.

더불어민주당 양양군 당협의 발대식은 지역 정치 역사에서 최초의 당협 정치행사로 알려졌다. 이 양양 당협의 발대식은 보수의 지역으로, 민주당의 힘지로 알려진 속초인제고성양양 지역 특히 가장 보수적인 것으로 알려진 양양에서 첫 발대식을 개최했다는 점에서 지역 정가뿐만 아니라 중앙 정가에 큰 관심을 끌고 일찍 총선의 열기를 불러일으킬 것으로 전망된다.

이 발대식은 속인고양(속초·인제·고성·양양) 보수의 텃밭에서 개최되어 민주당의 기반을 공고히 하면서 중도 확장력을 가능하게 하여 내년 총선에서 승리하는 기폭제로 작용할지 주목된다.

박상진 지역위위원장은 인사말을 통해 "우리 지역위는 선거에서 이기는 조직, 민심의 신뢰를 받는 조직을 위해 조직강화특위, 원로위, 정책특위 등을 출범시켰으며, 15개 상설위원회 중 노인위원회의 발대식을 마쳤고, 이제 당협을 구성하여 혁신적 조직개편

을 향해 더욱 힘차게 달려가고 있다"라고 말하면서,

그는 "오늘 양양 당협의 발대식은 혁신적 조직개편의 첫 출발을 여는 역사적인 순간이며, 설악권에 민주당의 기반을 만드는 첫 번째 역사를 만드는 것이고, 척박한 땅에 진보의 씨앗을 뿌리고 꽃을 피우는 대장정의 깃발을 든 것이며, 이제 설악권의 민주당도 돌고 돌아 정상화의 길에 본격적으로 들어서는 것이다"라고 주장했다.

그러면서 그는 "양양 당협의 발대식은 양양의 땅에서 억압과 굴곡의 정치적 역사의 종결을 의미하고, 민주당이 양양 지역 발전의 한 축이라는 사실을 확실하고 선명하게 보여 줄 것이며, 패거리 정치와 이권 정치만을 일삼는 껍데기들을 지역 정치 역사의 뒤안길로 보내고, 정치 운명공동체로 오로지 민생만을 바라볼 것이다"라면서, "양양 당협은 민주적, 창발적 자유의지가 넘쳐나고, 산출되는 결과의 과실을 공정하게 모두가 함께 누리는 '민주사회의 가치가 강물같이 넘쳐나는 양양'을 만드는 중심축의 역할을 할 것이다"라고 밝혔다.

그러면서 그는 "양양을 비롯한 설악권 지역이 변방에서 중심으로 나아가고, 우리 지역의 삶의 가치가 더 높아지고, 희망과 의욕이 넘쳐나는 지역으로 질적 전환을 이루는 데 헌신해야 할 것이며, 양양 당협이 이 모든 것을 가능하게 하고 실현시킬 것이라 확신한다"라고 하였다.

2023년 2월 25일 보도 참고 자료

14
군사시설 규제로 고통받는 민생과 함께하다

더불어민주당 속초·인제·고성·양양 지역위원회(위원장 박상진) 민생정책특별위원회는 19일(일) 오후 2시~4시 30분까지 속초시 더클래스300호텔에서 '강원 동북부 접경지역 군사시설보호지역 등의 정책적 쟁점'을 주제로 한 시민토론회를 개최하였다.

당초 폐회 시간보다 1시간 넘게 진행된 토론회에는 많은 인파가 몰려 회의장을 가득 메우는 등 열기와 관심이 뜨거웠다. 이 토론회에서는 '통신시설 주변 제한 보호구역 문제', '군부대 유휴지의 지자체 매각 및 임대 문제', '군사시설 이전 비용의 국비 지원 문제', '군부대 내 소재 문화재 및 경관의 관광 자원화 문제' 등이 집중 거론되었다.

특히, 지자체가 이러한 문제를 해결하기 위한 군점유 공유지를 '기부대 양여 제도'를 통해 반환받을 수 있는 것에 대해 관심이 집중되었다. 또한 군부대 이전 및 유휴토지 등에 대해서는 민관 합동으로 예산 등을 반영한 사업계획서를 관련 부대 및 국방부 등에 제출하여 권리행사를 할 필요성에 대해서도 이목이 집중되었다.

질의 및 응답시간에서는 용촌 통신시설의 이전 문제, 청간정 군부대 이전 문제, 부당한 토지의 징발 문제, 징발 후 유휴화된 토지의 미반환 문제, 징발된 토지의 제3자 매각 문제, 군부대 이전 토지의 효율적 활용 문제, 징발 후 목적 이외로 사용되거나 미사용된 토지 문제 등이 재산권 침해, 환매권 행사 및 피해보상 그리고 지역 발전의 관점에서 집중 논의되었다.

이와 더불어 동서고속화철도와 동해북부선 철도가 신설되는 때에 맞추어 전반적인 군사시설 구역에 대한 조정이 필요하다는 의견과 포괄적인 지역 발전의 측면에서 새로운 설악권 종합발전계획과 규제 완화의 입법을 통한 시스템 개선이 필요하다는 의견 등이 관심을 끌었다. 또한 부당한 군 국유지 사용 등에 대한 전반적인 국유재산 관리

실태 감사가 필요하다는 의견도 개진되어 주목을 받았다.

이 토론회를 개최한 박상진 위원장은 "그동안 아무 말도 못하고, 어떻게 해야 하는지 모르고 고통만을 받아온 한 많은 지역주민의 의견을 경청하고 주요 쟁점을 환기시킨 것이 이 토론회의 성과이다"라면서 "지역주민들이 어떻게 하면 권리를 찾을 수 있는지를 다소나마 알게 하는 공론화의 장을 마련하였다는 데 의미가 있고, 개진된 의견에 대해서는 국회 입법과정, 국방부 등 관계부처에 전달하여 제도개선 등을 추진하겠다"라고 향후 계획을 밝혔다.

2023년 3월 19일 보도참고자료

15

민생현안 해결을 위해 더민주 속초시 자치분권 정책협의회를 가동하다

더불어민주당 속초인제고성양 지역위원회 속초시자치분권정책협의회(의장 박상진)는 4월 24일(월) 오후 2시 속초시청 브리핑룸에서 기자 회견을 갖습니다.

회견 내용은 설악권의 민생현안, 특히 접경지역 군사시설보호구역 등의 쟁점 현안 해결을 촉구하는 것입니다. 박상진 위원장은 "설악권 주민들의 삶의 가치를 올리기 위한 민생 요구에 작은 힘이라도 보태 정당의 책임감과 태어나 자란 곳에 대한 도리를 다하고자 한다"라고 말했다.

강원 동북부 접경지역 군사시설보호구역 등의 민생현안을 해결하기 위해 전향적인 조치를 취할 것을 촉구하는 더불어민주당 속초시 자치분권 정책협의회 기자회견문

더불어민주당 속초인제고성양양 지역위원회 속초시자치분권정책협의회(의장 박상진 지역위원장)는 접경지역 민생현안의 해결을 요구하는 지역주민의 의견을 전폭적으로 수렴하고, 우리 지역위가 2023년 2월 11일 개최한 '강원특별자치도 법안의 쟁점과 입법과제 시민토론회'와 2023년 3월 19일 개최한 '강원 동북부 접경지역 군사시설보호구역 등의 정책적 쟁점'을 토대로 2023년 4월 17일 속초시 자치분권 정책협의회(이하 '협의회'라 함)를 개최하여, 다음과 같이 속초시를 포함한 강원 동북부 접경지역 군사시설보호구역 등의 민생현안을 해결하기 위한 전향적인 조치를 취할 것을 촉구하는 결의를 하였다.

  1. 협의회는 접경지역 군사시설보호구역 등이 국가안보 등을 위해 불가피하게 설정·운용될 수밖에 없다는 점을 인정하지만, 지역주민의 재산권을 침해하고 지역 발전을 저해하는 불법·부당한 측면을 너무 오랫동안 방치하고, 대체 부지 및 대안정

책의 탐색 등 해결 의지를 보이고 있지 않다는 인식을 명확히 하게 되었다.

2. 접경지역 등의 민생현안과 관련된 설악권 속초시, 인제군, 고성군, 양양군 및 강원도 등 지방자치단체는 관련된 모든 민원을 접수하여 불법 사항, 국회 입법사항, 행정 입법사항, 중앙 행정 사항, 지방 행정 사항, 소송 사항, 지역 발전계획 필요사항, 예산 수반 사항 등으로 분류하고, 분류한 유형별로 적극 대응할 것을 촉구한다.

3. 접경지역 등의 민생현안과 관련된 설악권 속초시, 인제군, 고성군, 양양군 및 강원도 등 지방자치단체는 접경지역 개인의 재산권 보호, 군사시설보호구역 등의 설정 및 해제, 군사시설의 이전 등을 포함한 '지역 발전 종합계획'을 수립하여 이를 토대로 국방부 등에 주체적으로 적극 대응할 것을 촉구한다.

4. 국회, 국방부, 감사원, 국민권익위, 기획재정부 및 강원도 등은 군사시설의 무단불법 점유, 군사시설 점유 토지의 법취지 위반 사용, 군 사시설 점유 토지의 당초 목적 이외의 사용, 군사시설 점유 토지의 장기 유휴화와 점유 목적 상실, 지역민 토지에 대한 부당한 권리침해, 민원이 제기된 군부대 이전 및 대체토지 제공 가능성 등에 대한 전반적인 실태 조사를 실시하고, 이를 토대로 법·행정·예산 정책적인 조치를 적극 취할 것을 촉구한다.

5. 국방부 및 강원도 등은 '고성 용촌 통신부대'의 이전 또는 규제 지역 범위축소 및 앙각 확대 조정, '고성 청간정 군부대' 이전에 대한 예산지원, '고성 마차진 등 포 사격장 등'으로 인한 어업 등 피해의 정당한 보상, 군부대 이전에 따른 유휴지의 공익적 활용 등에 전향적인 조치를 취할 것을 촉구한다.

6. 국회, 국방부, 기획재정부 및 강원도 등은 국유재산의 효율적인 관리와 재산권 보호의 헌법적 가치를 위해 군사시설보호구역의 설정 및 해제와 군부대 이전, 지역민 토지의 수용 보상 및 피해보상 등에 따른 예산확보 조치가 충분히 이루어지도록 할 것을 촉구한다.

7. 국회 및 강원도 등은 접경지역 등의 민생현안에 관한 사항을 3월 22일 행안위에 상정된 강원특별자치도법안에 반영하고, 필요시에는 군사시설보호구역 등과 관련된 징발법 등을 개정할 것을 촉구한다.

8. 협의회는 접경지역 등의 민생현안을 해결하기 위해 속초시 의회 내에 관련 특위 (접경지역 민생현안 해결 특별위)를 설치하는 것을 검토하는 한편, 인제군, 고성 군 및 양양군 의회와 연대하거나 연석회의를 개최하는 것을 검토할 것이다.

9. 협의회는 접경지역의 민생현안을 해결하기 위해 설악권 속초시, 인제군, 고성군, 양양군 및 강원도 등 지방자치단체와 협력하여 입법 청원, 시행령 개정, 행정규제 개선, 이전비 등 예산확보 등을 위해 노력할 것이다.

10. 협의회는 접경지역의 민생현안에 관한 토론회 및 간담회 등을 지속적으로 추진 하거나 적극 참여하여 정책대안을 함께 마련하는 한편, '고성 용촌 통신부대' 등 으로 인한 속초 및 고성 등 지역주민의 민생현안 해결에 필요한 사항에 대해 주민 들과 함께 연대하여 지속적으로 행동해 나갈 것이다.

2023년 4월 24일 속초시청 브리핑룸

16

군사 규제 완화를 위한 실천적 노력, 입법청원서 제출

　박상진 지역위원장은 23년 5월 2일 오후 '고성 용촌 통신부대' 군사시설보호구역의 규제 완화, 강원특별자치도법안 조속통과 등 2건의 국회의원 소개(송기헌 의원) 입법청원서를 국회의장을 수신인으로 하여 국회 민원 지원센터에 공식 접수했다. 아울러 국방위원회, 행정안전위원회를 방문하여 관련 법령 재개정의 청원 내용을 관계자에게 설명하고 반영을 요청하였다.

　국회 국방위에 최종 회부되는 '고성 용촌 통신부대' 군사시설보호구역 규제 완화의 입법청원 내용은 지역민의 요구를 수렴하여 '고성 용촌 통신부대' 이전 또는 규제 범위를 2km에서 500m로 줄이고 앙각을 2도에서 7도로 상향 조정하는 것이다.

　국회 행정안전위에 최종 회부되는 강원특별자치도법안 조속 통과 등의 입법 청원 내용은 6.11 강원특별자치도 출범에 맞추어 강특 법안이 반드시 통과되어야 한다는 설악권 주민의 요구를 담았고, 강원도지사의 군사 규제 해제 건의권의 개정 조문이 필히 통과되어야 한다는 것과 설악광역권 계획의 수립에 관한 것이다.

　의원 소개 입법 청원은 법안과 동일하게 국회 상임위 상정, 소위 심사 등을 거치게 됨에 따라 지역의 민원이 국회에서 어떻게 처리되는지에 대한 관심이 집중될 것으로 보인다.

　박상진 위원장은 "의원 소개 입법 청원으로 지역의 민생현안이 공론화의 장을 넘어 실질적인 해결의 길로 나아가 지역민의 오랫 고통이 해소되고, 지역 발전의 새로운 전기를 만들며, 광역적인 계획을 통해 설악권이 공동 발전하는 기틀을 마련하길 바란다"라고 말했다.

한편 박상진 지역위원장은 이번 입법 청원의 내용과 관련하여 2023년 2월 11일 '강원특별자치도 법안의 쟁점과 입법과제 시민토론회', 2023년 3월 19일 '강원 동북부 접경지역 군사시설보호구역 등의 정책적 쟁점 토론회', 2023년 4월 17일 속초시 자치분권 정책협의회를 개최하고 기자회견을 실시한 바 있다.

박상진 더불어민주당 속초인제고성양양 지역위원장이 지난 5월 2일 제출한 "군사시설보호구역 규제 완화와 설악권 광역계획 수립 등에 관한 입법 청원" 중 행안위에 제출한 건이 원안의 수정 반영 또는 신설 반영되어 후속 조치를 통해 설악권 주민들의 권익 보호와 설악권의 광역적, 체계적 상생발전이 가능해질지 주목된다.

이 입법청원서는 두 번의 강원특별자치도법안 관련 토론회와 기자회견을 거쳐 설악권 지역주민의 의견을 수렴하여 국회 행안위와 국방위에 각각 제출된 바 있다.

한편, 국방위에 제출한 입법 청원(용촌 통신부대 이전 또는 범위 축소, 앙각 조정)은 심사 중에 있다.

박상진 위원장은 "강특법의 개정으로 접경지역의 군사시설보호구역 규제 완화를 위한 출발이 시작되었는데, 지자체는 이를 십분 활용하여 적극 대응해야 하고, 광역시설 등에 관한 설악광역권 계획을 잘 수립해서 설악권이 체계적, 효율적으로 상생 발전하는 기틀을 만들어 가길 바란다"라고 밝혔다.

2023년 5월 2일 보도 참고 자료

1. 군사시설보호구역 규제 완화 건(원안 수정 반영)
   ○ 도지사 또는 관할 시장·군수는 관할부대장에게 민간인 통제선 또는 보호구역의 지정·변경 또는 해제를 건의할 수 있고, 관할부대장은 건의한 사항이 반영되지 아니한 경우에는 그 이유를 제시하여야 함
   ○ 국방부장관은 도지사가 요청하는 경우 강원자치도의 미활용 군용지 현황을 도지사에게 제공할 수 있음
   ○ 국방부장관은 군부대가 현재 사용 중이며 앞으로도 계속 사용할 계획이 있는 강원자치도 또는 관할 시·군의 공유재산과 미활용 군용지 등을 교환할 수 있음

2. 설악권 광역시설의 체계적, 계획적 설치 건(송기헌의원 입법 청원 신설 반영)

　○ 2개시 군에 걸치는 철도, 도로, 상하수도 등 광역시설 등의 설치 등에 관한 사항
　　을 '미래산업 글로벌 도시 종합계획'에 반영하도록 하여 철도, 상하수도 등 광역
　　시설의 설치 시 설악권의 난개발 방지와 계획적, 체계적, 효율적으로 계획을 세
　　워 이를 설치하도록 하여 설악권 상생발전을 도모하도록 하였음

17

양양의 민생현안을 드디어 공론화하다

더불어민주당 속초인제고성양양 지역위원회(위원장 박상진)는 23.5.12 양양에서 '양양군자치분권정책협의회'를 개최하였다.

이 협의회에는 박상진 지역위원장, 박봉균 양양군 의회의원, 김정중 전 도의원을 비롯하여 20여명이 참석하여 2시간 가량 회의가 진행되었다. 협의회에서는 양양군의 주요 민생현안과 최근의 주요 이슈를 청취하고 관련 사항에 대해 토론한 것으로 알려졌다.

크게는 예산확보 방안 및 필요성, 예산의 운영 및 집행의 적정성, 민생 및 예산 현안 해결 방향, 양양군 발전 방향에 대해 상호 토론하였다.

특별하게 집중논의 된 것은 양양군의 재정 안정화 기금 150억 편성의 당초 예산목적의 합당성 문제, 민간사업체인 플라이 강원 직원 인건비 20억원 예산지원의 적정성 문제, 의원의 5분 자유발언에 대한 의장의 불허가의 부당성 문제 등이 집중 거론된 것으로 알려졌다.

양양군 의회 박봉균 의원은 "오색케이블카 사업 지원을 위한 재정 안정화 기금은 본 예산에 편성해서 군민들 동의를 구하고 투명하게 집행되어야 하고, 민간사업체에 인건비를 지원하는 예산은 전례 여부, 법적 근거 등에 대한 검토와 조사가 필요하다"라고 말했다.

박상진 지역위원장은 "모든 여건과 상황이 어렵더라도 지역주민과 함께 민생 속으로 더 가까이 다가가고, 민생현안의 해결을 위한 후속 조치도 이어가며, 민생정치, 생활 정치로 함께 하겠다"라고 소감을 밝혔다.

2023년 5월 12일 보도 참고 자료

18

양양공항 정상화를 위한 공론화 장을 만들다

더불어민주당 속초인제고성양양 지역위원회(위원장 박상진) 민생정책특별위원회는 6.1일(목) 오후 4시 양양 을지인력개발원에서 「양양국제공항의 정상화 및 활성화를 위한 전향적 방안 모색」 긴급 토론회 개최를 개최했다.

토론회에서 주제 발표를 한 김영식 교수는 양양공항의 정상화를 위해선 동해북부선 연결을 통한 접근성 확보, 차후 속초-춘천 간, 강릉-서울간 KTX활용 등이 필요하다고 주장했다. 또한 코로나로 인해 중단되었던 중국 노선 확대, 전쟁 후 러시아 극동 지역 노선, 일본 및 동남아 노선 확대가 필요하다는 입장을 밝히면서 강원도 및 경릉, 속초 등의 협력 지원과 정부의 고강도 지원책이 필요하다고 피력했다.

토론자인 한상우 전 법제처 경제법제국장은 서면을 통해 법령과 조례의 지원 근거 없는 양양군의 플라이 강원에 대한 인건비 20억의 집행에 대해서는 관련 법령에 의거 불법성의 개연성이 높을 수 있다고 주장하면서 불법성이 확인되는 경우 강원도 감사, 감사원 공익감사와 형법상의 문제가 제기될 수 있다는 입장을 밝혔다.

이 토론회를 개최한 박상진 위원장은 " 이번 토론회는 지역 현안의 공론화를 통해 민생현안 해결의 단초를 마련하고자 기획되었다"라고 밝혔다. 그러면서 그는 "양양공항 운항 중단 사태는 설악권과 강릉, 인제 등의 불편함과 더불어 지역경제에 큰 타격을 주기 때문에 조속한 운항 재개의 특단의 방안이 마련되어야 한다"라면서 "예산지원 등의 불법성 문제가 제기되지 않도록 적법한 절차에 입각해 강원도, 양양, 속초 및 인근 강릉의 협력적 지원이 필요하고, 국토부가 선제적으로 앞장서야 한다"라고 밝혔다.

2023년 6월 1일 보도 참고 자료

19

양양공항 정상화, 플라이 강원 20억원 지원의
불법성 여부 조사로부터

더불어민주당 속초·인제·고성·양양 지역위 양양군자치분권정책협의회(의장 박상진 위원장)는 11일 10:30 양양군청 브리핑룸에서 ㈜플라이 강원에 지원한 양양군의 인건비 20억원의 예산집행에 대한 즉각적인 감사 실시와 기업회생신청 등에 따른 양양국제공항 운항 중단에 대한 양양군 등의 대책 마련을 촉구하는 기자회견을 실시하고, 지역 주민 300인 이상의 서명을 받은 공익감사청구서를 감사원에 제출할 예정이다.

㈜플라이 강원에 지원한 양양군의 인건비 20억원의 예산집행에 대한 즉각적인 감사 실시와 기업회생신청 등에 따른 양양국제공항 운항 중단에 대한 양양군 등의 대책 마련을 촉구하는 기자회견문

더불어민주당 속초인제고성양양 지역위원회 양양군자치분권정책협의회(의장 박상진 지역위원장)는 지난 5월 15일 양양군의 ㈜플라이 강원에 지원한 인건비 20억원의 예산 집행에 대한 지역주민들의 감사 요구와 기업회생절차 등에 따른 양양국제공항 운항 중단에 대한 대책 마련 등을 촉구하는 지역주민들의 요구를 전폭적으로 수렴하고, 이를 해결하기 위한 전향적인 방안 모색 토론회와 여러 차례 개최한 양양군자치분권정책협의회의 회의 결과를 토대로 12일 양양군민 300인 이상의 서명을 받은 공익감사청구서를 감사원에 제출할 예정이며, 다음과 같이 결의를 하였다.

1. 감사원, 행안부, 강원도 및 국회는 양양군이 ㈜플라이 강원의 법원에 대한 기업회 생 신청 하루 전에 ㈜플라이 강원에 인건비로 지급한 20억원의 예산집행에 대한 불법성 여부를 전면 조사하고, 양양군민의 혈세가 일개 민간기업에 쓰여져 예산 의 무분별한 낭비가 있었는지를 확인하며, 양양군의 예산집행이 적법하고도 시

의적절하게 집행되었다면 ㈜플라이 강원의 기업회생이 발생하지 않았을 것인지에 대한 여부 등에 대해 전면적인 정책감사와 국가재정·회계 등 관련 법령의 위반 여부를 명명백백하게 밝힐 것을 요구한다. 또한 양양군 의회는 행정조사권을 발동하여 양양군민을 위해 쓰여질 예산이 적법한 근거 및 절차를 거치지 않고 전용 및 유용되었는지 여부를 조사할 것을 요구한다.

2. 회생법원은 법정대리인으로 ㈜플라이 강원 주00 대표이사를 선임하였는데, 경영부실 여부에 대한 책임규명의 연장선에서 해당 정책당국 등과 협의하여 이를 재검토할 것을 촉구한다.

3. 국토교통부, 강원도, 감사원, 국회 등은 ㈜플라이 강원 운항 중단의 원인 규명, 운항 재개의 방안 마련, 정책 방향의 새로운 설정 등을 위해 양양국제공항 운항 정책의 타당성, 예산투입의 적정성 및 합법성, 부실 경영 여부의 근본 원인 및 실태, 경영 및 행정행위 등의 합목적성 및 위법성 등에 대한 조사 및 국정조사 등을 조속히 실시하고, 그에 따른 책임규명을 통해 공항 정상화를 위한 "구체적인 예산 및 정책지원 로드맵"을 마련할 것을 촉구한다.

4. 국토교통부, 강원도, 양양군, 국회, 회생법원 등은 ㈜플라이 강원 운항 중단에 따른 양양국제공항의 조속한 정상화를 위해 하루 빨리 앞장설 것을 요구한다.

5. 우리는 양양국제공항의 조속한 정상화를 위해 양양군민 및 설악권 주민과 함께 할 것이며, 1차적인 행동 방침으로 양양군이 ㈜플라이 강원에 집행한 인건비 20억원의 예산집행 실태 등에 관한 감사를 요청하는 내용 등을 담은 "공익감사청구서를 양양군민 300인 이상의 서명을 받아 내일(12일) 감사원에 제출하여 양양군민과 함께 오로지 양양국제공항의 정상화를 위한 길에 나설 것임"을 천명한다.

6. 우리는 양양국제공항의 민생현안에 관한 토론회 및 간담회 등을 지속적으로 추진하고, 현안 정책에 적극 참여하여 정책대안을 함께 고민하는 한편, 양양국제공항 등으로 인한 지역주민의 민생현안 해결에 필요한 사항에 대해 지역주민들, 인접 지자체, 중앙정부, 국회 등과 함께 연대하여 지속적으로 행동해 나갈 것임을 밝힌다.

2023년 7월 12일 양양군청 브리핑룸

20

평화와 생명과 남북 협력의 상징,
한국DMZ평화생명동산!

21.8.28 제가 대표로 있는 미래정책연구소·설악미래포럼(설악광역포럼)은 공동으로 제3회 '더 가까이 찾아가는 민생정책포럼'을 인제군 서화면에 위치한 (사)한국DMZ평화생명동산(이사장 정성헌)에서 개최하였습니다.

포럼이 여기를 방문한 이유는 지구공동체의 지속가능성을 위협하는 기후 위기와 불평등의 심화에 대응하고, 접경지역에 대한 평화적 이용이 시대적인 과제가 되었기 때문입니다. 정성헌 이사장님, 박광주 설악금강 서화마을 이사장님, 황호섭 사무국장님 등이 따뜻하게 환대해 주셨습니다.

저희 포럼과 (사)한국DMZ평화생명동산은 DMZ 평화생명특구지정 방안, 평화생물자원관 건립과 DMZ일원 군부대 관련 누적 폐기물의 환경친화적 해결 방안에 대해 진지하게 논의하였습니다. 이 현안의 해결이 인제군의 발전과 지구공동체의 위기를 극복하는 작은 계기가 될 수 있다는 공감대를 형성하고, 해결 방안을 찾기 위해 함께 노력하기로 하였습니다. 열심히 찾아보겠습니다.

또한 현재 우리가 맞고 있는 기후 위기, 양극화, 전쟁 위험에 대하여 성찰하고 대안 과제를 어떻게 발굴해 갈 것인지, 돈·이윤·독점의 경제가 아닌 나눔·협동·협의 경제로의 전환은 어떻게 풀어 갈 것인지, 무엇보다 중요한 접경지 주민과의 상생발전을 위한 주민소득 연계사업의 활성화 방안에 대하여 토론을 하였습니다. 많이 배웠습니다!

특히, DMZ평화생명동산은 주민과의 긴밀한 협력을 토대로 서하리 주민의 주수입원인 농업소득을 획기적으로 높이기 위하여, 대한한의사협회와 자매결연을 맺고 친환경 약초 재배(당귀, 황기, 작약, 도라지, 천궁 등)를 통한 유기 순환농업에 박차를 가하고 있습니다. 새로운 개념접근과 기획으로 소멸되는 마을이 아니라 함께 잘사는 부흥하는 마을로의 획기적인 전환이 시도되고 있습니다. 아름답고 부유한 마을을 기원합니다.

한국DMZ평화생명동산은 2008.11.18 개관하여 인제군 서화면 서화리 금강로에 전시관, 교육관, 명상원, 연수동 등 9동을 건립하였습니다. 평화생명의 요람지로 학생 교육, 지도자 교육, 지구촌 평화교육으로 지금까지 58,421명의 교육생을 배출하였습니다. 습지 탐방, 향로봉 생태 탐방, 민통선 평화 탐방 등의 체험프로그램을 운영하는 한편, 서화리 주민 162세대 390명과 함께하는 생명평화 사업을 준비 중에 있습니다. 최근에 인제 IC~인제스피디움 간 31번 국도 선형 개량 사업이 국가사업으로 확정되었습니다. 인제 군정의 힘을 보여주었습니다.

축하드립니다! 이 31번 국도의 직선화 사업은 서화면과 금강군으로 이어지는 '설악~금강 평화도로 개설'과 직결되기 때문에 이는 인제 지역 발전 역사에 큰 획을 그은 쾌거가 되었습니다. 바로 그 평화도로의 한가운데에 인제군 서화면 서하리와 천도리에 걸쳐 DMZ평화생명 동산이 있는 것입니다. 평화와 생명과 남북 협력의 상징이 그곳에 있는 것입니다. 배산임수 구릉지에 햇빛 가득한 로마 지형(?)의 인제!

그곳은 7만 인구 규모 기준으로 대략 6,000억원 이상의 예산이 투입되는 살기 좋은 평화마을이 벌써 되어 가고 있는 것입니다.

2021년 8월 30일

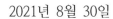

21

민생책임은 더 가까이 찾아가는 민생정책 포럼이

주말, 어릴 적 항상 해 왔던 연탄 봉사활동을 했습니다. 지게로, 어깨 릴레이로 연탄을 겨울나기에 꼭 필요한 우리 이웃의 연탄창고까지 배달하였습니다.

제가 회원 또는 대표로 있는 설악권 봉사단체인 '설악의 메아리', '설악광역포럼' 회원 및 일반 자원봉사자들과 속초 연탄은행(회장 김상복) 관계자들과 함께 트럭 한 차분(2,000여장)을 노학동 도리원 등 어르신들께 전달하였습니다. 2,000장의 연탄은 거둔 회비로 마련하였습니다. 동해안 바닷바람이 무척이나 매서운 겨울 속초에 연탄 한 장이 어르신들의 추위를 녹이는 따뜻한 봄바람이 되길 기대합니다.

내년 4월까지 연탄배달이 이루어져야 하는데, 봉사 인력이 점점 줄어드는 상황이라고 합니다. 연탄 봉사활동이 노동을 통해 마음을 나누는 실천 운동으로 설악권 전역에 더욱 확산되길 바랍니다.

2021년 12월 12일 보도 참고 자료

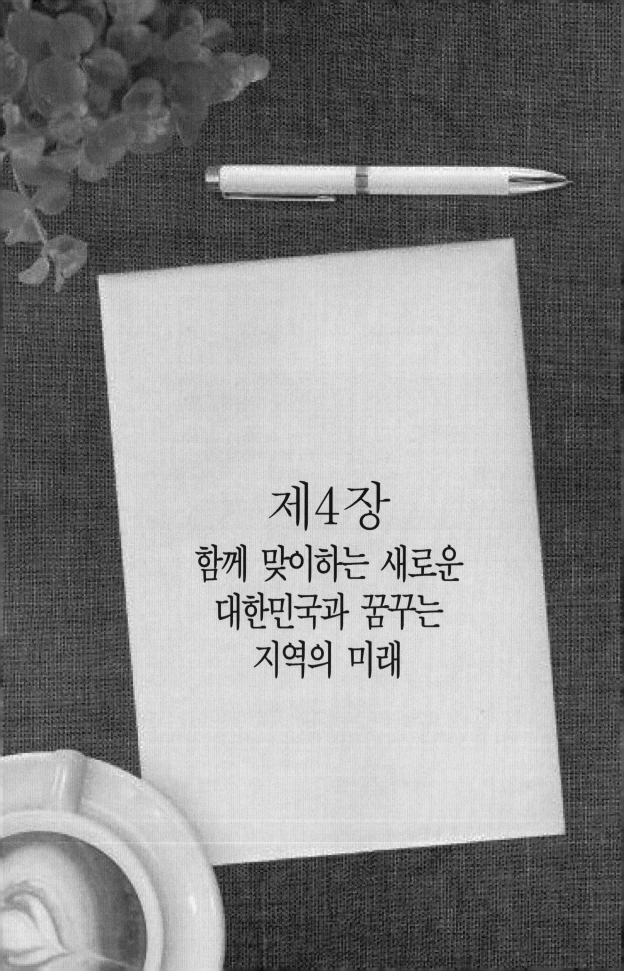

제4장
함께 맞이하는 새로운 대한민국과 꿈꾸는 지역의 미래

01

설악권 지역 발전 핵심 사항의 대선 공약 반영을 요청하다

　2021.8.4(수) 오전 이재명 대선예비후보 선대본부 부본부장 겸 조직총괄본부장 및 제3 본부장인 이규민 국회의원(경기 안성)이 속초와 강릉을 방문하여 속초·고성·양양·인제와 강릉에서 활동 중인 이재명 지지 세력과 간담회를 가졌다.

　이 자리에는 이재명 대선후보 강원도 선대위 심은섭 공동대표(제3본부 겸임), 김길수 대표, 박승복 대표 등과 설악 및 강릉지역 지지 모임의 대표 등이 참석하였다.

　간담회에서는 설악권과 강릉의 새로운 변화와 혁신적 발전을 위해서는 정권 재창출이 필요하다는데 공감대를 이루었다. 이를 위해 건전하고 합리적인 새로운 진보세력이 주축이 되어 이재명 대선후보의 핵심 공약인 공정 성장과 대동 사회 등을 위해 힘을 함께 모으기로 결의하였다.

　또한 설악권 및 강릉의 진보세력은 중도층을 포함하여 실질적이고 구체적으로 지지 세력을 최대한 확보하여 성과를 보여주기로 하였다. 이에 대응하여 이재명 대선 후보 측에서는 새로운 진보 세력에게 힘을 실어 설악광역권과 강릉의 발전과 도약을 함께 추동하기로 뜻을 모았다.

　이재명 대선후보의 최측근인 이규민의원이 속초와 강릉을 방문한 것은 매우 특별한 의미가 있는 것으로 보인다. 이는 선거전략 상 이 지역에서 중도층의 지지세 확보가 유리한 측면을 활용하여 중부 및 남부 쪽으로의 지지세 확산을 도모하기 위한 전략적 요충지로 속초와 강릉을 선택한 것으로 전해진다. 특히 소외 지역인 속초를 방문하여 남북 교류 협력 등 통일시대를 대비하기 위한 아젠다 선점에 공을 들이고, 설악권 지방 세력이 완전하고도 진정하고 건전한 정치세력으로 교체되기를 열망하는 지지 세력의 요청에 부응하기 위한 것으로 보인다.

　이 자리에서는 속초·고성·양양·인제의 지역 현안을 정리한 대선 공약을 이규민 의원을 통해 이재명 대선후보에게 전달하여 지역 발전 핵심 사항이 대선 공약에도 반영되도록 하는 통로를 개척한 것으로 알려졌다.

2021년 8월 4일 보도 참고 자료

02

설악광역권의 새로운 발전은 이재명 대통령 후보가

국가적인 대전환의 시기에 속초·인제·고성·양양 설악광역권은 대한민국 국토의 변방 중의 변방, 소외의 역사를 이어오고 있습니다. 인구는 감소하고 희망이 사라져 가고 있습니다.

금강산관광이 중단되고 남북 교류 협력이 중단된 지금은 더더욱 지역경제가 활력의 돌파구를 찾지 못하고 침체 상태에 머물러 있습니다. 이로 인해 특히 소상공인을 비롯한 지역주민의 시름이 깊어 가고 있습니다.

속초·인제·고성·양양의 경제와 민생을 살리지 못하는 무능한 패거리 정치와 뿌리 깊은 토착 정치를 이제야말로 끝장낼 때입니다. 책임을 지지 않는 무책임한 정치가 우리 설악광역권을 매번 망쳐 놓고 있는 굴레에서 벗어나야 할 절실한 때입니다.

소년공을 경험하여 소외와 변방을 아는 흙수저 비주류, 경기도지사로 낙후된 경기북부를 책임져 온 사람, DMZ의 평화적 활용 등 평화 경제에 대한 명확한 비전과 문제해결 능력을 가진 이재명 후보가 답입니다.

이재명 후보는 9월 6일 강원도 공약을 발표했습니다. 여기에서 설악광역권과 관련하여 한반도 평화 경제 구현, 강원도평화특별자치도 설치, 금강산 관광 재개, 남북정상이 합의한 동해 관광 공동특구 지정과 레저와 휴양을 위한 세계적인 관광지 조성, 동서고속화철도, 동해북부선철도 및 속초~고성 동해고속도로 등 설악광역권 광역교통망 확충, 북방경제 진출의 핵심 거점 형성, 디지털·그린 뉴딜 실현 등을 공약으로 제시하였습니다.

공약 제시는 누구나 할 수 있습니다. 누구나 말과 글로 할 수 있습니다. 설악광역권은 전부 믿지 않습니다. 그러나 이재명 후보만은 믿습니다. 그는 약속의 아이콘입니다.

약속을 지켜왔습니다. 말보다 행동으로 보여주었습니다. 그래서 설악광역권의 시군민은 이재명 후보를 지지합니다.

속초·인제·고성·양양 설악광역권은 평화경제 및 북방경제를 토대로 100년을 대비하기 위하여 설악광역권 전략계획을 수립하여 광역도시권으로 발전해야 하는 지역 발전의 전환기에 처해 있습니다. 이재명 후보가 대통령이 된다면 과감한 지역 균형발전 정책, 평화 경제 정책을 통해 성과를 낼 것입니다. 설악광역권이 이재명 후보를 책임져야 하는 이유입니다.

이재명 후보는 속초·인제·고성·양양을 각각의 지역적 특성을 맞춰 발전시켜 나가되, 미래 100년 먹거리 신성장동력산업과 광역적 연계 협력사업을 중점 추진하여 평화·북방경제 시대 대한민국 미래를 견인하는 제1의 혁신성장 지역으로 육성할 것입니다. 이재명 후보를 지지하는 핵심적인 이유입니다. 이재명은 반드시 합니다.

또한 이재명 후보는 설악광역권을 세계적인 글로벌 종합관광산업 도시로 만드는 데 공헌할 것입니다. 휴양·문화·의료·음식관광 등의 광역적 관광 종합프로그램 마련하고, 산림 및 해양자원을 활용한 환경친화적 대규모 치유·힐링 복합 관광단지 조성하며, 4계절 관광이 가능하도록 관광 인프라의 획기적인 확충 등을 추진하는데 실천력과 결단력을 발휘할 것입니다.

그리고 이재명 후보는 속초·인제·고성·양양을 교통물류의 허브와 태평양 시대를 준비하는 광역도시권으로 육성할 것입니다. 미래 100년을 준비하기 위한 설악광역권 시민 중심 동서 고속철도의 제대로 된 착공, 설악광역권의 신성장동력을 확보하기 위한 동해북부선의 교통물류 기능이 강화되어야 합니다. 또한 미주 노선 등 태평양 시대를 대비하기 위한 양양공항 확충, 동서 고속철도 및 동해북부선의 여객·물류 등의 태평양 시대를 열기 위한 설악광역권 영북신항만 신설, 통일시대 대비와 설악광역권 경제 공동체의 시너지를 위한 속초-고성 간 동해고속도로 연장 등의 광역교통망이 재구축되어야 합니다. 이재명 후보는 분명히 이를 완성할 것입니다. 이재명 후보의 낙후 지역에 대한 개선 의지, 한반도 평화경제를 향한 열망은 설악광역권 주민의 삶의 질을 획기적으로 개선하고, 새로운 설악광역권 시대를 열 것입니다. 교통물류의 허브 조성을 통해 설악광역권의 태평양 시대를 열어갈 것입니다. 이재명 후보를 지지하고 신뢰하는 이유입니다.

이재명 후보는 설악광역권의 백두대간과 DMZ 접경지역의 규제를 철폐하고, 낙후된 경제를 그린뉴딜과 평화경제의 실현을 통해 새로운 미래의 설악광역권, 활력이 넘치는 설악광역권, 평화와 번영을 꿈꾸는 설악광역권을 실현할 것입니다. 이중삼중의 희생을 치러온 설악광역권에 더 특별한 보상이 필요하다는 인식을 공유하는 이재명 후보야말로 용기와 결단을 통해 더 행복하고 공정한 설악광역권, 한반도 평화 시대를 선도하는 새로운 설악광역권을 만들 것입니다.

이재명 후보는 설악광역권을 세상의 중심으로, 평화경제의 핵심으로, 북방경제의 주역으로, 새롭게 여는 태평양 시대로, 백두대간의 중심축으로, 접경지역의 선도자로, 한반도 평화와 번영을 맞이하는 축복의 땅으로 이끌 것입니다.

한반도의 평화 경제, 설악광역권의 새로운 미래를 이재명 후보는 구현할 것입니다. 이재명 후보만이 꼭 합니다. 설악광역권의 지지는 필연입니다. 이재명 후보의 승리를 확신합니다. 이재명의 승리는 설악광역권이 책임지겠습니다!!

21년 9월 9일 통일전망대에서

03

이재명 대통령 후보에게 드리는 설악권 발전 정책 건의문

□ 속초·인제·고성·양양의 30만 설악광역도시권을 조성해 주십시오.

  ○ 인구 30만 규모 기준 설악광역권 발전 특별계획 수립

  ○ 강원도평화자치특별법 제정을 통한 설악광역 도시권 근거 마련

□ 설악광역권을 평화경제 및 평화관광특별구역으로 지정해 주십시오.

  ○ 제정추진 중인 강원도평화자치특별법에 근거 마련

  ○ DMZ의 평화적 활용과 국제평화도시 설치

  ○ 강원 고성 제진역 부근 남북협력평화공단 조성

  ○ 평화경제구역 내 남북 교류 관련 공공기관 이전

  ○ 평화구역 내 평화산업 및 관광산업 단지 조성

  ○ 평화구역 내 서울대학교 병원 등 평화통일병원 신설

  ○ 속초항-원산항 교류 협력 및 연계 관광, 양양공항-원산갈마공항 연계 관광

  ○ 금강산관광 재개와 관련 추진 과정, 지원, 피해 시 보상 등 특별법 제정

□ 설악광역권 광역교통망의 설악권전체 주민 중심, 100년 발전을 위한 중심으로 재구축해 주십시오.

  ○ 설악광역권 시민 중심 동서고속철도의 제대로 된 착공(역사, 노선, 기능 등의 재구축)

  ○ 설악광역권의 신성장동력을 확보하기 위한 동해북부선의 교통물류 기능 강화(역

사, 노선, 기능의 재구축)
- ○ 미주노선 등 태평양 시대를 대비하기 위한 양양공항 확충
- ○ 여객·물류 등의 태평양 시대를 열기 위한 설악광역권 영북신항만 신설
- ○ 통일시대 대비와 설악광역권 경제공동체의 시너지를 위한 속초-고성간 동해고속
  도로 연장

□ 남북 동해안 관광 공동특구로 신속하게 지정해 주십시오.
- ○ 남북정상회담 합의사항 국회 비준과 지원법 마련
- ○ 설악금강권 해상국립공원(설악금강권 해상정원, 바다정원) 신규 지정

□ 설악광역권 동서축 발전 전략을 수립해 주십시오.
- ○ 접경지역 특별법을 평화지역 특별법으로 대체하여 접경지청 등 개설
- ○ 동서 녹색 평화도로 구축

□ 설악광역권 백두대간축 발전 전략을 수립해 주십시오.
- ○ 설악광역권 친환경 케이블카 설치
- ○ 화진포 국제종합힐링휴양단지 조성
- ○ 설악광역권 백두대간 국립자연휴양림 조성
- ○ 산림 및 해양자원 연계 환경친화적 대규모 치유·힐링 복합관광단지 조성

□ 설악광역권 동해안 및 태평양축 발전 전략을 수립해 주십시오.
- ○ 설악광역권의 북방경제의 핵심 거점으로 개발
- ○ 동서고속철 및 동해북부선과 양양공항 연계 태평양 시대 개막 준비
- ○ 러시아 등 북방항로 확대 개편
- ○ 속초 북방물류 및 크루즈 모항 중심 관광산업 육성

2021년 9월 9일

04

설악광역권의 새로운 발전을 지지하다

속초·인제·고성·양양 설악광역권 등 시군민 1,157명은 9월 9일 최북단 강원도 고성 군 통일전망대에서 이재명 후보에 대한 지지를 선언했다. 이들은 "한반도 평화경제의 시대를 열고, 설악광역권의 새로운 발전을 위해서 이재명 후보를 지지한다"라고 밝혔 다. 그러면서 "이재명 후보의 대통령 당선은 대한민국의 시대적 숙명이 되었고, 설악광 역권이 변방에서 세상의 중심으로 나가기 위한 필연적 조건이 되었다"라고 강조했다.

9월12일 더불어민주당 강원권 경선 및 일반국민 선거인단 투표(1차 슈퍼위크)를 앞 두고, 접경지역인 최북단 속초인제고성양양에서 이재명 후보 지지 선언이 나온 것은 특별한 사례로서 설악광역권 및 동해안권과 나아가 강원도권의 중도층과 보수의 표심 의 향배에도 어떠한 영향을 미칠지 관심이 집중되고 있다.

이들은 지지선언문에서 "대한민국이 올바른 미래로 갈 것인지, 퇴행적 과거로 갈 것 인지 선택의 기로에 있다. 대한민국은 기득권의 세력에 포획되어 수렁에 빠지느냐, 새 로운 대동 세상으로 가느냐의 중차대한 상황에 처해 있다"라고 대한민국의 현재 상황 을 진단했다.

이에 이들은 "대한민국의 절체절명의 위기를 극복할 사람이 이재명 후보다. 이재명 후보는 민생중심의 확고한 철학과 가치, 용기와 결단, 강력한 추진력을 가지고 있고, 실용적 민생개혁주의자, 준비된 역량을 가진 이재명 후보만이 중단 없는 개혁과 계단 식 질적 발전을 통해 새로운 대한민국, 더 나은 국민의 삶을 만들어 나갈 수 있다"라고 주장했다.

또한 이들은 "국가적인 대전환의 시기에 속초·인제·고성·양양 설악광역권은 대한민 국 국토의 변방 중의 변방, 소외의 역사를 이어오고 있고, 인구는 감소하고 희망이 사라져 가고 있다" 그리고 "금강산관광이 중단되고 남북 교류 협력이 중단된 지금은 더 더욱 지역경제가 활력의 돌파구를 찾지 못하고 침체 상태에 머물러 있다"라고 지역의 문제를 제기하면서 "속초·인제·고성·양양의 경제와 민생을 살리지 못하는 무능한 패거리 정치와 뿌리 깊은 토착 정치를 이제야말로 끝장낼 때다"라고 주장했다.

그러면서 이들은 설악광역권의 누적되고 고착화된 문제를 근본적으로 해결하기 위해서는 "소년공을 경험하여 소외와 변방을 아는 흙수저 비주류, 경기도지사로 낙후된 경기 북부를 책임져 온 사람, DMZ의 평화적 활용 등 평화 경제에 대한 명확한 비전과 문제해결 능력을 가진 이재명 후보가 답이다"라고 강조했다.

또한 이들은 세부적으로 "설악광역권은 평화경제 및 북방경제를 토대로 100년을 대비하기 위하여 설악광역권 전략계획을 수립하여 30만 설악광역 도시권으로 발전해야 한다"라고 주장했다.

이와 동시에 이들은 "미래 100년을 준비하기 위한 설악광역권 시민 중심 동서고속철도의 제대로 된 착공, 설악광역권의 신성장동력을 확보하기 위한 동해북부선의 교통 물류 기능의 강화, 미주노선 등 태평양 시대를 대비하기 위한 양양공항 확충, 여객·물류 등의 태평양 시대를 열기 위한 설악광역권 영북신항만 신설, 통일시대 대비와 설악광역권 경제 공동체의 시너지를 위한 속초-고성간 동해고속도로 연장 등의 광역교통망이 재구축되어야 한다"라고 의지를 피력했다.

그러면서 이들은 "이재명 후보는 분명히 이를 완성할 것이다. 이재명 후보의 낙후 지역에 대한 개선 의지, 한반도 평화 경제를 향한 열망은 설악광역권 주민의 삶의 질을 획기적으로 개선하고, 새로운 설악광역권 시대를 열 것이다"라고 강조하면서 이재명 후보의 지지를 호소했다.

마지막으로 이들은 [이재명 후보와 함께하는 설악광역권 발전 전략 정책건의문]을 채택하였다. 이 정책건의문에서는 〈속초·인제·고성·양양의 30만 설악광역 도시권 조성, 설악광역권의 평화 경제 및 평화관광 특별구역 지정, 설악광역권 광역교통망의 설악권 전체 주민 중심 재구축, 남북 동해안 관광 공동특구 신속 지정〉의 내용과 세부 실천 정책건의문이 담겨 있다.

또한 이 정책건의문에서 이들은 설악광역권의 발전 전략 수립을 강조하면서 "3가지

154

축의 발전경로에는 설악광역권 동서축 발전 전략, 설악광역권 백두대간축 발전 전략, 설악광역권 동해안 및 태평양축 발전 전략이 있다"라고 제시하면서 "이재명 후보가 이를 실현할 것이다"라고 강력한 희망 의사를 밝혔다.

2021년 9월 9일 보도 참고 자료

05

껍데기들은 가라, 새로운 설악광역권을 위해

10월 15일 속초·고성·양양·인제에 현수막이 걸렸다. '설악권민주연대 M' 명의로 "껍데기들은 가라, 새로운 설악광역권"이란 현수막이다. 현수막 내용이 특이하여 수소문 끝에 설악권민주연대 M 관계자를 취재하였다.

우선, 현수막을 건 이유를 물었다.

설악권민주연대 M 관계자는 "설악광역권의 발전을 위해서는 지역 현안이 대선 공약에 잘 반영되는 것이 중요하다"라고 하면서 "우리 지역민의 질적인 삶의 질을 향상시키고 지역경제의 알찬 발전을 위해서는 이를 관철시킬 수 있는 포괄적인 정치시민세력인 설악권민주연대 M의 존재를 널리 알릴 필요가 있었다"라고 그 이유를 밝혔다.

기자는 "껍데기들은 가라"의 특별한 의미에 대해 질문하였다.

설악권민주연대 M 관계자는 "껍데기는 가라는 유명한 신동엽 시인의 시 한 구절로 진실하고 진정성이 없는 자들은 지역의 발전에 적폐이며 오히려 지역에 해를 끼치기 때문에 지역 발전을 위해서는 이들이 배제되어야 한다는 의미이다"라고 주장하였다.

그리고 "대선 국면에 과연 누가 설악광역권의 발전에 적합한 정치세력인지를 잘 살펴야 하고, 거짓으로, 허위로, 표만을 위해 선동하는 정치세력은 껍데기일 수밖에 없다"라고 주장했다.

이 관계자에 대하여 그럼 새로운 설악광역권을 만들고 견인할 정치세력은 누구로 보느냐라고 인터뷰하였다.

이에 대해 이 관계자는 "국민의힘은 아닌 것 같다. 대한민국과 우리 지역민의 염원이 담긴 동해북부선 사업 중지를 국감에서 지적한 것이 국민의힘인 것 하나만 봐도 그러하다. 이게 말이 되는냐? 아무리 북한과의 관계가 교착상태라도 동해북부선은 통일열차, 관광열차, 물류열차, 지역경제 활성화 열차인지 모르는 것인가? 반공 시각에서 반대하는 것은 구태다"라고 라면서 "이 설악광역권의 발전은 소외되고 차별된 우리 지역의 공정 성장을 이끌고, 소멸 위기의 낙후를 평화 경제를 통해 계단식의 질적 도약으로 선도할 정치세력이어야 한다"라고 강조하였다.

이는 사실상 대선 국면에서 더불어민주당 이재명 대통령 후보를 지지하는 것으로 들렸다. 향후 설악권민주연대 M이 바라는 설악광역권의 발전이 설악권민주연대 M의 활동을 통해 20대 대통령 선거에 어떻게 투영되고 구현되는지 관심이 모아진다.

2021년 10월 19일 보도 참고 자료

06

제20대 대통령 선거 정책 포럼 최초로 속초에서 열다

미래정책연구소와 설악 광역포럼이 공동 주최하는 20대 대통령 선거 정책 포럼이 2021년 10월 30일 속초 근로자 복지회관에서 열렸다.

'20대 대통령 선거와 설악 광역권의 새로운 발전 전략'이란 주제로 열렸던 이 정책 포럼은 민주당 이재명 대선후보 경선 선출 이후 지방에서 열리는 첫 번째 공론화장으로서의 의미가 있었다.

이 포럼이 주제의 특성상 민주당과 국민의힘 두 정당의 대선 공약 정책을 비교해서 진행될 수밖에 없었기 때문에 경선 국면을 지나 중도층의 본격적인 평가를 알리는 본선 국면의 신호탄이 될 전망이었기 때문이다. 이 포럼을 계기로 대선 정책토론회 등이 서울과 각 지방에서 봇물처럼 개최될 것으로 예상되었다.

이 포럼을 주관한 미래정책연구소 박상진 대표(전 국회 차관보급 수석전문위원)는 "대선 정책 포럼의 첫 공론화의 장이 변방 중의 변방 속초에서 열려 자부심을 가진다"라고 하였다. 그리고 "이 포럼을 계기로 설악광역권에 토론과 공론화의 장이 활성화되길 희망하고, 동해북부선 등 광역교통망이 확충되는 변화의 한가운데 있는 설악광역권이 새로운 지역 발전의 동력을 확보하며, 세상의 중심으로 나아가는 기회를 포착하길 바란다"라고 주장했었다.

또한 박 대표는 "이 대선 정책 포럼을 시발로 전국적으로 많은 대선 정책토론회가 열려 미래의 새로운 대한민국을 만드는 일 잘하는 대통령을 뽑는 데 도움이 되었으면 한다"라고 밝혔다.

2021년 10월 24일 보도 참고 자료

07

설악권이 대선을 계기로 세상의 중심으로 나가자!

안녕하십니까 박상진 대표입니다.

제가 현재 미래정책연구소와 설악광역포럼 두 개 단체의 대표를 맡고 있습니다.

정말 기대치 않게 많은 분들이 참석해 주셨습니다. 진심으로 감사의 말씀을 드립니다.

조금 전 내외빈 소개가 있었지만 OOO님, OOO님이 참석해 주셨습니다. 큰 박수 부탁드립니다.

아시다시피 이 토론회는 정치적인 중립성을 전제로 오로지 지역의 발전을 위해 함께 고민하기 위해 개최되었습니다. 따라서 특정 후보, 특정 정당에 대한 지지나 호소는 이 토론회의 취지에 맞지 않을 뿐만 아니라 공직선거법에 문제가 생길 수 있습니다. 이점을 유의해 주시면 감사하겠습니다.

오늘 "20대 대통령 선거와 설악광역권의 새로운 발전 전략"이란 주제로 열리는 이 정책포럼은 지방 속초에서 열리는 첫 번째 공론화의 장으로 의미가 있다고 생각합니다. 대선 정책 포럼의 첫 공론화의 장이 변방 중의 변방 속초에서 열려 개인적으로는 자부심도 가집니다.

이 공론화의 장은 두 가지의 목적을 위해 기획하게 되었습니다.

우선, 지역의 이슈에 대한 공론화의 장이 활성화되어야 한다는 생각을 하게 되었습니다. 중앙 및 지방정부에 의한 공청회나 설명회가 아닌 순수 민간 주도의 토론회가 활성화되어야 합니다. 토론회를 통해 정보의 비대칭이 해소되고 공정하고 균형 있는 정보가 강같이 흘러야 합니다. 그 풍부한 정보를 통해 저희가 판단하고 선택하는 정책을 통해 우리 지역의 발전을 도모해야 한다고 생각하였습니다. 열린사회로 가기 위해서는 정보가 강 같이 흘러야 합니다. 그 강물은 지역 발전의 원천이 될 것입니다. 알아야 면장을 하는 것입니다. 그래서 저희가 자주적으로 정책을 선택하고 활용하여 우리 지역의 현재와 미래를 책임져야 한다고 생각합니다.

두 번째는, 20대 대통령 선거를 앞두고 우리 지역에 필요한 정책이 무엇인지에 대해 정확히 알 필요가 있다고 생각합니다. 여야를 넘어 우리 지역의 새로운 대통령 공약이 제시되어 있는지, 제시된 공약은 허상의 공약이 아니라 실제로 도움이 되는 것인지, 또한 실현 가능성과 타당성이 있는 것인지, 공약은 있는데 오히려 우리 지역의 발전에 저해되는 정책은 없는지, 보완 수정할 만한 공약인지, 공약이 없다면 어떠한 새로운 지역 발전 정책을 공약에 담도록 해야 하는지 등에 고민할 필요가 있다고 보았습니다.

아무쪼록 이 포럼을 계기로 여기 귀한 시간을 내주신 분들께 지역 발전을 위한 통찰력과 혜안을 얻는 데 작은 보탬이 되길 소망합니다. 또한 설악광역권에 토론과 공론화의 장이 더욱 활성화되길 희망하고, 동해북부선 등 광역교통망이 확충되는 변화의 한가운데 있는 설악광역권이 새로운 지역 발전의 동력을 확보하며, 세상의 중심으로 나아가는 기회를 포착하길 소망합니다.

그리고 이 대선 정책 포럼을 시발로 전국적으로 많은 대선 정책토론회가 열려 미래의 새로운 대한민국을 만드는, 일 잘하는 대통령을 뽑는 데 도움이 되었으면 합니다. 감사합니다.

2021년 10월 30일

08

설악금강권의 광역적 발전을 꿈꾸며

22년 1월 23일(일) 이재명 대통령후보 직속 총괄특보단 설악금강권특보단(공동단장 김시혁, 박동수)은 민주당 속인고양(속초·인제·고성·양양) 선대위 사무소에서 임명장 수여식을 개최하였다.

중도적 성향인 154인으로 조직된 설악금강권 특보단의 출범은 광역적 기초자치단체 수준에서 최초로 열리는 행사로서 중도층 표심에 영향을 미칠지 주목된다.

이 특보단의 활동이 보수 지역인 속초·고성·양양·인제와 동해안권 지역에서 대선에 어떠한 결과를 만들지 관심이 집중된다. 이 지역에서의 민주당의 승리는 전국적인 승리로 가는 척도로 작용한 경우가 적지 않기 때문이다.

김시혁 공동특보단장은 "국민들은 대선에서 권력만을 위해 출마한 분과 국민을 위해 출마한 분을 현명하게 구분지어 판단할 것이다"라고 출범식 소감을 밝혔다. 그러면서 김특보단장은 "설악금강권이 평화경제를 통해 발전하고 금강산 관광 재개, 국제관광 특구 지정, 동해북부선등의 원활한 신설 등을 위해서는 이재명 후보가 필연적으로 대통령에 당선되어야 하고 이 승리가 지방선거까지 이어져야 한다"라고 주장하였다.

김단장은 "우리 특보단은 국민만 보고 출마한 이재명 후보의 당선과 설악금강권의 발전을 위해 우리 지역 구석구석에서 다양하고 적극적인 총력 활동을 펼칠 것이다"라고 말했다. 특히, 김단장은 "동해북부선과 유라시아 횡단철도가 연결되어 남북간 철도 왕래가 실현되고, 금강산 관광이 재개되면 동해안은 설악-금강연계 국제관광특구로 새롭게 변모할 것으로 보고 있다"라고 하였다.

그러면서 김단장은 22년 1월 21일 설악금강권의 대통령 현안 정책에 대한 강원도 언론보도에 따르면, 2007년 노무현 대통령은 균형 발전을 위해 춘천-속초 철도 건설을 대통령 정책자료집에 포함시켜 오늘날의 춘천-속초 고속철도가 착공하기에 이른 계기가 되었다고 본다.

그런데, 2002년 김대중 대통령은 '설악·금강권 관광 개발 계획'을 추진하면서 2020년까지 총 4조 3,000억원을 투자하기로 추진하였으나 실현되지 못하고 있다. 또한, 1978년 박정희 대통령의 '설악동관광단지 개발사업'은 실행되었으나 2022년 이 시점에서는 쇠퇴해진 설악동에 '새로운 설악동 재건 사업'이 절실히 필요하다"라고 하면서,

그는 "우리 설악금강권 특보단 일동은 이재명 대통령후보님께 노무현 전 대통령의 춘천-속초 고속철도의 원활한 건설, 김대중 전 대통령의 '설악·금강권 관광 개발 계획'의 재추진, 박정희 전 대통령의 '설악동관광단지 개발사업'의 취지를 반영한 '설악동의 새로운 재건 사업'의 대대적인 추진을 제안드린다"라고 밝혔다.

그러면서 김단장은 "대한민국의 대전환 시대에 능력 있는 이재명 후보가 대통령으로 당선되어야 '설악·금강권 관광 개발계획'의 재추진 등 설악금강권의 광역적인 발전뿐만 아니라, 4차 산업혁명 시대 및 코로나19 이후의 국가적 과업을 달성할 수 있기 때문에 국민들의 지지와 관심이 결국에는 이재명 후보에 집중될 것이고, 이를 위해 지혜를 모아 함께 당당히 나아가겠다"라고 강조했다.

2022년 1월 23일 보도 참고 자료

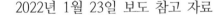

09

설악금강권의 새로운 변화와 발전을 열망하면서

안녕하세요. 박상진 전 국회 차관보입니다.

저는 이재명 후보 강원도특보단장과 중앙 재정금융입법특보단장으로 활동하고 있습니다. 이렇게 뵙게 되어 정말 반갑습니다.

먼저 오늘, 특보로 임명된 분들께 진심으로 축하의 말씀을 올립니다.

휴일임에도 많은 분들이 참석해 주서서 감사드립니다. 또한 행사 준비에 수고하신 김시혁, 박동수 공동단장님과 박범진 속초 단장님께 감사드립니다. 그리고 많은 특보를 추천할 수 있도록 노력해 주신 선배후배님들께 진심으로 감사드립니다.

이번 대선은 공정과 상식을 가장한 기득권 세력과의 싸움입니다. 미래로 가느냐, 다시 퇴행적 과거로 가느냐의 갈림길입니다. 국민을 위해 출마한 분과 권력만을 위해 나온 자를 구별하는 것입니다.

설악금강권 발전, 평화경제, 금강산관광, 동해북부선 신설 등을 제대로 추진할 능력 있는 인물을 선택하는 것입니다.

누가 이것을 실현할 수 있겠습니까.

답은 저희를 특별보좌역으로 임명한 이재명 후보입니다. 저희가 이재명 후보를 대통령으로 만들어야 하는 이유입니다.

보수 중도층이 많은 우리 지역에서 여기 계신 분들이야말로 깨어있는 시민, 진정한 역사 인식을 가지 선구자입니다.

설악금강권의 새로운 변화와 발전을 열망하고, 진정으로 우리 지역을 사랑하는 분들이 바로 여기 계신 분들입니다.

함께 하게 되어 정말 감사드립니다.

오늘의 참여와 특보단의 활동이 새로운 대한민국과 설악금강권을 만들고, 우리의 삶을 풍요롭게 할 것이라 봅니다.

항상 건강하시고 행복하시기를 기원합니다. 종종 뵙고 좋은 말씀해 주시면 감사하겠습니다.

다시 한번 귀한 걸음 감사드립니다.

파이팅입니다!

감사합니다.

2022년 1월 23일

10
설악금강권특보단의 정책 제안

국민들은 20대 대통령을 선출하는 대선에서 권력만을 위해 출마한 분과 국민을 위해 출마한 분을 현명하게 구분지어 판단할 것이다. 이런 본질적 판단하에 설악금강권이 평화경제를 통해 발전하고, 금강산 관광 재개, 국제관광 특구 지정, 동해북부선 등의 원활한 신설 등을 위해서는 이재명 후보가 필연적으로 대통령에 당선되어야 하고 이 승리가 지방선거까지 이어져야 한다. 이에 우리 특보단은 국민만 보고 출마한 이재명 후보의 당선과 설악금강권의 발전을 위해 우리 지역 구석구석에서 다양하고 적극적인 총력 활동을 펼칠 것이다.

우리 특보단은 동해북부선과 유라시아 횡단철도가 연결되어 남북간 철도왕래가 실현되고, 금강산 관광이 재개되면 동해안은 설악-금강연계 국제관광특구로 새롭게 변모할 것으로 보는 발전적 관점을 가지고 있다.

'22.1.21 과거 대통령의 설악금강권 현안 정책에 대한 언론보도'에 따르면, 2007년 노무현 대통령은 균형 발전을 위해 춘천-속초 철도 건설을 대통령 정책자료집에 포함시켜 오늘날의 춘천-속초 고속화철도가 착공하기에 이른 계기가 되었다고 본다. 그런데, 2002년 김대중 대통령은 '설악·금강권 관광 개발계획'을 추진하면서 2020년까지 총 4조 3,000억원을 투자하기로 추진하였으나 이는 실현되지 못하고 있다. 또한, 1978년 박정희 대통령의 '설악동 관광단지 개발사업'은 실행되었으나 2022년 이 시점에서는 쇠락해 가고 있는 설악동에 '새로운 설악동 재건 사업'이 절실히 필요한 시점이다.

이에 우리 설악금강권 특보단 일동은 이재명 대통령 후보님께 노무현 전 대통형이 정책화한 춘천-속초 고속화철도의 원활한 건설, 김대중 전 대통령의 '설악·금강권 관광 개발계획'의 강력한 재추진, 박정희 전 대통령의 '설악동 관광단지 개발사업'의 취지를 반영한 '새로운 설악동 재건 사업'의 대대적인 추진 등 설악금강권 발전 방안을 공약에 담고 실현해 나갈 것을 제안드린다.

또한, 이와 관련하여 30만 설악금강 광역도시권 조성, 설악금강권의 평화경제 및 평화 관광 특별구역 지정, 설악금강권 광역교통망의 주민 중심 추진, 동해안 관광특구 지정, 국가·지방 및 공공기관의 설악금강권 이전, 설악광역권 동서축 발전 전략 수립, 설악광역권 백두대간축 발전 전략 수립, 설악광역권 동해안 및 태평양축 발전 전략 수립 등을 건의드린다.

우리 설악금강권 특보단은 대한민국의 대전환 시대에 능력 있는 이재명 후보만이 제안드린 '설악·금강권 관광 개발계획'의 재추진 등 설악금강권의 광역적인 발전뿐만 아니라, 저성장 및 양극화, 코로나19 팬더믹, 기후 위기, 4차 산업혁명 시대, 남북관계의 고착화, 미중패권의 새로운 국제질서로부터 파생된 국가적 과업을 달성할 수 있다고 확신한다. 따라서 우리 특보단은 국민적인 지지와 관심이 이재명 후보께 집중되는 것은 역사의 법칙이며 대한민국이 미래로 가는 필연적 조건임을 분명히 인식하면서 모든 지혜와 역량을 다해 이재명 후보와 함께 나아갈 것임을 밝힌다.

2022년 1월 23일

11

설악금강권과 강원도민 등 4,079명, 속초에서 이재명 대통령 후보 지지

속초·고성·양양·인제 설악금강권과 강원도민 등 4,079명은 2022년 3월 3일 속초 아바이마을 '실향민 망향탑'에서 이재명 대통령 후보 지지 선언을 하여 평화와 안보 대통령 이미지 각인시켰다.

이 지지 선언이 전쟁과 분단의 상징인 속초 '실향민 망향탑'에서 이루어진 배경은 이재명 후보가 평화와 외교·안보에도 적임자임을 명확히 하고자 하는 의도로 보인다. 선언문에서 강조하듯이 굳건한 외교·안보를 바탕으로 '싸울 필요가 없는 강력한 평화 유지의 상태'를 만들 적임자가 이재명 후보라는 것을 상징적으로 이미지화하려는 것으로 보인다.

특히, 이 지지 선언이 3월 4일 이재명 후보의 속초 유세를 하루 앞두고 이루어진다는 점에서 영동 지역에서 이재명 후보의 지지세를 확실하게 우세로 전환하고, 수도권으로의 지지세를 확산시키려는 고도의 전략적인 목적이 있는 것으로 보여진다. 현장에는 50여명의 이재명 후보 지지자들이 모였다.

선언문에서는 "속초 아바이마을 실향민 망향탑은 분단의 비극과 실향민의 가슴 아픈 애환이 서려 있는 곳이다. 또한 남북평화와 번영으로 나아가야 하는 역사적 사명을 상기시키는 곳이다. 나라가 국민을 위해 어떠한 나라가 되어야 하는지를 일깨워 주는 곳"이라고 하면서 "어떠한 대통령을 뽑느냐가 대한민국의 운명을 결정짓는다"라고 전제하였다.

그런 뒤 선언문에서는 "대통령은 대전환기의 위기를 극복하고 번영하는 나라, 국민이 편안하고 잘사는 나라, 국내외의 모든 위협으로부터 안전한 나라, 모두가 함께 누리는 공정한 나라를 만들어야 한다"라고 하면서 "오늘 이 역사적인 장소에서 설악금강권과 강원도민 등 4,079명은 그러한 나라를 만드는 대통령으로 이재명 후보를 결정적으로 지지한다"라고 밝혔다.

또한 선언문에서는 "정권교체는 허구이며, 구호이다. 권력만을 위한 정권교체는 분열과 혼란과 오만의 다른 말이다. 권력을 국민을 위한 도구로만 사용하는 것이 정권교체를 넘어서는 새로운 정치다"라고 주장했다.

지지선언문의 주요 내용은 다음과 같다.

첫째, 이재명 후보만이 평화경제를 통해 번영하는 나라를 만들고, 탁월한 외교능력과 군건한 안보를 통해 전쟁을 할 필요가 없는 강력한 평화유지 상태의 나라를 만들 것이고, 평화 대통령, 안보 대통령이 될 것이다.

둘째, 이재명 후보만이 저성장 및 양극화, 코로나19 팬더믹, 기후 위기, 4차 산업혁명 시대, 남북 관계의 고착화, 미중패권의 새로운 국제질서로부터 파생된 국가적 과업을 달성할 수 있다고 확신한다는 것이다.

셋째, 이재명 후보는 권력만을 탐하기 위해 출마한 것이 아니라 민생중심의 확고한 철학과 가치, 용기와 결단, 강력한 추진력을 가지고 오로지 국민과 나라를 위해 봉사할 것이다.

넷째, 이재명 후보는 공정 성장을 통해 경제부흥을 일으키고 세계 경제 5위국의 경제 강국을 만드는 유능한 경제 대통령이 될 것이다.

다섯째, 이재명 후보만이 어디에도 속하지 않고, 오로지 국민만을 보고 달려온 국민중심, 민생중심 새로운 시대, 새로운 정치교체를 구현할 수 있을 것이다.

여섯째, 이재명 후보는 낙후되어 가고 소외되어 있는 설악금강권과 강원도를 평화경제를 토대로 변방에서 중심으로 발전시킬 것이라 확고하게 믿는다는 것이다.

그러면서 6가지 설악금강권의 정책 건의문을 이재명 후보에게 건의하였다.

2022년 3월 3일 보도 참고 자료

12

설악권과 대한민국의 미래를 위해 실향민 망향탑에 서다

대한민국은 코로나19, 4차 산업혁명, 기후 위기, 저성장의 지속 등 대전환기에 위기냐 기회냐의 갈림길에 서 있습니다. 대한민국이 올바른 미래로 갈 것인지, 퇴행적 과거로 갈 것인지 선택의 기로에 있습니다. 대한민국은 기득권의 세력에 포획되어 수렁에 빠지느냐, 새로운 대동 세상으로 가느냐의 중차대한 상황에 처해 있습니다.

대한민국은 불평등, 양극화, 초고령화, 청년실업, 불공정, 상대적 박탈, 지역 불균형, 남북 관계 고착화, 세계 패권국가의 경쟁 심화에 직면하고 있습니다.

이러한 대한민국의 절체절명의 위기를 극복할 사람이 누구입니까? 바로 이재명 후보입니다. 그래서 우리는 이재명 후보를 지지합니다.

이재명 후보는 민생중심의 확고한 철학과 가치, 용기와 결단, 강력한 추진력을 가지고 있습니다. 이재명 후보는 수많은 위기를 이겨온 사람입니다. 이재명은 위기가 더 많았던 흙수저 비주류지만 위기를 기회로 바꾸며 성과를 만들어 왔습니다. 실용적 민생개혁주의자, 준비된 역량을 가진 이재명 후보만이 중단없는 개혁을 통해 새로운 대한민국, 더 나은 국민의 삶을 만들어 나갈 수 있습니다.

대한민국이 새로운 미래로 나가기 위해서는 '계단식 질적 발전'이 이루어져야 합니다. 위기를 전환의 새로운 에너지를 통해 기회로 과감히 변환시켜야 합니다. 기득권을 버리고 역사법칙에 따라 다 함께 잘사는 대한민국의 올바른 미래로 나아가야 합니다. 이를 위해 이재명 후보의 경험과 역량, 과감한 결단력과 실천력이 무엇보다도 필요합니다.

    국민의 삶의 질이 새로운 차원에서 개선되고, 성장동력의 확보를 통한 경제의 적정 성장이 이루어지며, 공정과 실질적인 형평성이 보장되어 누구나 차별 없이 세상에서 마음껏 자유를 누릴 수 있어야 합니다. 한반도의 평화 정착은 생존입니다. 동북아의 평화와 안정을 위해서는 우리가 주체적 역할을 해야 합니다. 국가적인 난제를 풀고 대한민국의 번영과 평화를 이룰 사람은 위기를 끊임없이 극복해 온 이재명 후보입니다. 누구나 할 수 없습니다. 오직 이재명 후보가 합니다.

    이제 대한민국은 패거리 정치, 이권 정치, 진영 정치, 권력 정치, 군림 정치, 무능력 정치를 끝장내고 공정, 능력과 실력을 바탕으로 국민을 위해 진정으로 일 잘하는 정치, 국민 민복을 위한 정치, 미래로 나가는 정치, 통합과 포용의 정치를 통해 새로운 전환의 시대를 준비해야 합니다. 어디에도 속하지 않고, 오로지 국민만을 보고 달려온 국민 중심, 민생중심 이재명 후보만이 새로운 시대, 새로운 정치를 구현할 수 있습니다.

2023년 3월 3일

13
속초 아바이마을 실향민 망향탑 지지 선언

여기 이곳 '속초 아바이마을 실향민 망향탑'은 분단의 비극과 실향민의 가슴 아픈 애환이 서려 있는 곳입니다. 또한 남북평화와 번영으로 나아가야 하는 역사적 사명을 상기시키는 곳입니다. 나라가 국민을 위해 어떠한 나라가 되어야 하는지를 일깨워 주는 곳입니다.

이제 20대 대통령 선거일이 다음 주 3월 9일입니다. 내일 3월 4일과 3월 5일에는 사전투표가 시작됩니다. 어떠한 대통령을 뽑느냐 하는 것은 어떠한 나라를 만드느냐를 결정짓는 것입니다. 대한민국의 운명을 결정짓는 것입니다. 대통령은 대전환기의 위기를 극복하고 번영하는 나라, 국민이 편안하고 잘사는 나라, 국내외의 모든 위협으로부터 안전한 나라, 모두가 함께 누리는 공정한 나라를 만들어야 합니다.

오늘 이 역사적인 장소에서 설악금강권과 강원도민 등 4000명은 그러한 나라를 만드는 대통령으로 이재명 후보를 결정적으로 지지하는 바입니다.

우선, 이재명 후보만이 평화경제를 통해 번영하는 나라를 만들고, 탁월한 외교능력과 굳건한 안보를 통해 전쟁을 할 필요가 없는 강력한 평화유지 상태의 나라를 만들 것입니다. 평화 대통령, 안보 대통령이 될 것입니다.

둘째, 이재명 후보만이 저성장 및 양극화, 코로나19 팬데믹, 기후위기, 4차 산업혁명 시대, 남북 관계의 고착화, 미중패권의 새로운 국제질서로부터 파생된 국가적 과업을 달성할 수 있다고 확신합니다.

셋째, 이재명 후보는 윤석열 후보처럼 권력만을 탐하기 위해 출마한 것이 아니라 민생중심의 확고한 철학과 가치, 용기와 결단, 강력한 추진력을 가지고 오로지 국민과 나라를 위해 봉사할 것입니다. 이재명 후보는 수많은 위기를 이겨온 사람입니다. 이재명은 위기가 더 많았던 흙수저 비주류지만 위기를 기회로 바꾸며 성과를 만들어 왔습니다. 실용적 민생개혁주의자, 준비된 역량을 가진 이재명 후보만이 중단없는 개혁을 통해 새로운 대한민국, 더 나은 국민의 삶을 만들어 나갈 수 있습니다.

넷째, 이재명 후보는 공정 성장을 통해 경제부흥을 일으키고 세계 경제 5위국의 경제 강국을 만드는 유능한 경제 대통령이 될 것입니다. 위기를 전환의 새로운 에너지를 통해 기회로 과감히 변환시킬 것입니다. 억강부약, 공정경제, 기득권 타파 등을 통해 역사적인 소명을 가지고 다 함께 잘사는 경제적으로 번영하는 세계 속의 경제 대국 대한민국을 만들 것입니다.

다섯째, 이재명 후보만이 어디에도 속하지 않고, 오로지 국민만을 보고 달려온 국민 중심, 민생중심 새로운 시대, 새로운 정치를 구현할 수 있을 것입니다. 패거리 정치, 이권 정치, 진영 정치, 권력 정치, 군림 정치, 무능력 정치를 끝장내고 공정, 능력과 실력을 바탕으로 국민을 위해 진정으로 일 잘하는 정치, 국민 민복을 위한 정치, 미래로 나가는 정치, 통합과 포용의 정치를 통해 새로운 전환의 시대를 열어 갈 것입니다.

여섯째, 이재명 후보는 낙후되어 가고 소외되어 있는 설악금강권과 강원도를 평화경제를 토대로 변방에서 중심으로 발전시킬 것이라 확고하게 믿습니다. 강원도평화특별자치도법를 제정하여 강원도의 경제사회를 근본적으로 발전시키는 역사적인 기회의 창을 제공할 것입니다. 이 법에 근거하여 속초·인제·고성·양양을 30만 설악광역 특별도시권으로 만들고, 김대중 대통령 때 수립된 '설악금강권 관광 개발계획'의 시행, 설악금강권의 평화경제 특별구역 지정, 공공기관의 설악금강권 특별구역 이전 등이 실현될 것입니다.

어느 길로 가야 하겠습니까?

단호히 주저함이 없이 우리는 이재명의 길, 국민의 길을 선택해야 합니다.

죽음도 두려워하지 않는 올바른 역사의 길로 가야 합니다.

정권교체는 허구이며, 구호입니다. 권

력만을 위한 정권교체는 분열과 혼란과 오만의 다른 말입니다.

권력을 국민을 위한 도구로만 사용하는 것이 정권교체를 넘어서는 새로운 국민의 정치입니다.

　나를 위해,

　설악금강권과 강원도를 위해,

　대한민국의 미래를 위해,

　앞으로 제대로 함께 할 위기에 유능한 이재명을 강력하게 지지함을 다시 한번 선언
합니다.

　　　속초·인제·고성·양양 설악광역권과 강원도민 등 4,079명 일동.

　　　2022년 3월 3일 속초 아바이마을

14

설악금강권 정책건의문, 이재명 후보에게 직접 전달

　속초 소재 정책 전문기관인 설악광역포럼(대표 박상진)은 2022년 3월 4일 홍천 선거 유세장에서 지난 3월 1일 언론 발표한 설악금강권 발전 정책 건의문을 설악광역포럼 박동수 부대표로 하여금 이재명 후보에게 직접 전달하였다.

　설악광역포럼은 지난 2월 9일 '설악금강권 광역 발전 전략 대토론회'를 개최하였고, 지난 3월1일 대토론회에서 논의된 정책 사항에 대해 언론발표를 하면서 이재명 후보 등에게 건의·전달하여 국가정책의 반영 및 시행을 지역주민에게 약속한 바 있다.

　이번 설악광역포럼이 추진한 '설악금강권 발전 정책 건의문'을 이재명 후보에게 현장 전달하고, 지난 2022년 2월 9일 대토론회 개최를 개최하고, 3월 1일에는 정책건의문 언론발표, 3월 3일에는 설악금강권 이재명 지지 선언에 관련 내용 포함 등 일련의 활동과 정책 건의문이 설악금강권의 새로운 변화와 발전에 실제로 대선 공약에 반영되고 국가정책으로 시행될지 주목된다.

　이재명 후보에게 건의·전달된 설악광역권 발전 정책 건의문의 핵심 내용에는 강원도 평화특별자치도법의 제정과 이 법에 근거하여 30만 설악광역 도시권 조성과 설악광역 발전 특별 계획 수립, 김대중 대통령 때 수립한 설악금강권 관광 개발의 실현, 평화경제 특별구역과 동해안 국가 정원 지정 등 설악광역권의 단기·중장기 발전 전략이 포함되어 있다. 설악금강권 관광 개발은 설악산과 금강산을 중심으로 한 지역의 자연경관과 문화유산을 활용하여 세계적인 관광지로 육성하는 것을 목표로 하고 있다.

　　　　　22년 3월 4일 보도 참고 자료

15

군사 규제 완화 및 설악권 광역계획 수립 반영 입법청원서 제출하다

[청원의 취지]

6월 11일 정식 출범하는 강원특별자치도가 '자치권'이 보장되는 명실상부한 특별자치도로서 출범을 할 수 있도록 핵심적인 권한 이양과 특례규정을 마련하고자 제출된 '강원특별자치도 설치 등에 관한 특별법 전부 개정 법률안'이 원만히 처리되기를 청원함. 특히, 강원 속초, 인제, 고성, 양양 등 설악권 지역주민들은 오랫동안 군사시설보호구역 등으로 인한 군사 규제로 건축행위 제한 등 재산권 침해, 지역 발전 저해, 인구감소 등으로 고통을 받고 있음에 따라 동 법안 "제116조의 규정에 의한 군사기지 및 군사시설 보호구역 지정 등에 관한 특례 등" 동 법안에 담긴 군사 규제 완화에 관한 규정이 원만하게 처리되기를 강력하게 청원함. 또한 설악권 지역에는 2027년 동서고속화철도와 동해북부선철도 등 광역교통망이 신설될 예정이므로 이에 대응하는 광역적인 지역 발전 계획의 수립을 통해 체계적이고 종합적인 발전을 도모할 필요가 있음.

[청원의 이유 및 내용]

1. '강원특별자치도 설치 등에 관한 특별법 전부 개정 법률안'이 지역 발전을 위해 원만히 처리되기를 청원

   강원도 속초에서는 2023년 2월 11일 '강원특별자치도 법안의 쟁점과 입법과제 시민토론회', 2023년 3월 19일 "강원 동북부 접경지역 군사시설보호구역 등의 정책적 쟁점 토론회"가 개최되었는바, 여기에 참가한 속초인제고성양양 설악권 지역주민들은 지역의 변화와 발전을 위해 동 법안이 원만히 처리되기를 희망하고 있음.

2. 동 법안 제116조의 규정에 의한 군사기지 및 군사시설 보호구역 지정 등에 관한 특례(보호구역의 지정·변경 및 해제에 관하여 직접 국방부장관에 건의) 등의 군사 규제에 관한 규정의 원만한 처리 입법청원

강원도 고성군 토성면 용천리, 속초시 장사·영랑·동명·금호동 일원은 '군사기지 및 군사시설보호법' 제9조 및 같은 법 시행령 제9조에 따라 설정된 군사 규제로 인하여 32년째 건축행위를 직접적으로 제한받고 있음. 또한 강원도 인제, 양양 등의 경우에도 군사 규제로 피해를 입고 있음에 따라 동 법안 제116조의 규정에 의한 군사기지 및 군사시설 보호구역 지정 등에 관한 특례 등의 군사 규제에 관한 규정의 원만한 처리를 청원함.

3. 동 법안의 미래산업 글로벌 도시 개발계획에 2개 이상의 시군을 거치는 광역시설의 공동 활용 등을 위해 도지사가 필요한 경우 광역적 발전계획에 관한 사항을 포함시킬 것을 입법 청원

설악권 지역에는 2027년 동서고속화철도와 동해북부선철도 등 광역교통망이 신설될 예정이므로 이에 대응하는 광역적인 지역 발전계획의 수립을 통해 난개발을 방지하고, 2개 이상의 시군에 걸치는 광역시설의 공동활용 및 협의 설치를 통해 체계적이고 종합적인 지역 발전을 도모할 필요가 있음. 이는 광역철도망이 신설되는 속초인제고성양양 설악권 지역뿐만 아니라 2개 시군에 걸치는 광역교통망, 광역산업단지, 광역상수도망, 광역 하수종말처리시설 등 광역시설의 설치가 필요한 지역에 대하여 도지사가 필요하다고 판단해서 정하는 지역에 필요한 광역계획에 관한 사항을 '미래 산 업글로벌 도시 개발계획'에 포함시키도록 함.

[소개 의견]

접경지역 군사시설보호구역 등이 국가안보 등을 위해 불가피하게 설정·운용될 수밖에 없다는 점을 인정하지만, 지역주민의 재산권을 침해하고 지역 발전을 저해하는 불법·부당한 측면을 너무 오랫동안 방치하였고, 대체 부지 및 대안정책의 탐색 등 해결 의지가 약했던 것으로 보임.

특히, 강원도 고성군 토성면 용천리, 속초시 장사·영랑·동명·금호동 일원은 '군사기지

및 군사시설보호법' 제9조 및 같은 법 시행령 제9조에 따라 설정된 군사 규제로 인하여 32년째 건축행위를 직접적으로 제한받고 있어 지역주민들의 인내가 임계점에 와 있음에 따라 이에 대한 해결책이 조속히 마련되어야 할 것으로 사료됨.

따라서 청원서에서 제시하는 3가지 방안에 대하여 심도있는 논의를 거쳐 하루빨리 정책적인 대안과 입법·예산적인 해결 조치를 통해 민생현안을 해결하여야 할 것으로 판단됨.

 소개의원 : 교섭단체(정당) 더불어민주당 성명 송기헌 국회의원 (인)

2023년 5월 2일

16

군사시설보호구역 규제 완화를 위한 입법청원서 제출하다

[청원의 취지]

강원도 속초에서는 2023년 2월 11일 '강원특별자치도 법안의 쟁점과 입법과제 시민토론회', 2023년 3월 19일 '강원 동북부 접경지역 군사시설보호구역 등의 정책적 쟁점 토론회'가 개최되었는바, 강원 고성과 속초 지역주민들은 오랫동안 군사시설보호구역 등으로 인한 군사 규제로 건축행위 제한 등 재산권 침해, 지역 발전 저해, 인구감소 등으로 고통을 받고 있음을 강력하게 표출하였고, 향후에도 집단적인 행동을 통해 이를 관철하려는 의지를 보이고 있음. 이에 따라 국회 차원에서 군사 규제를 완화하여 국민이 아파하는 민생 현안을 해결함으로써 헌법상의 가치인 재산권을 보장함과 동시에 낙후된 지역의 발전을 도모하여 국민의 삶의 질을 높이고 국민경제의 발전에 이바지하고자 청원하려는 것임.

[청원의 이유 및 내용]

○ 강원도 고성군 토성면 용천리, 속초시 장사·영랑·동명·금호동 일원은 '군사기지 및 군사시설보호법' 제9조 및 같은 법 시행령 제9조에 따라 설정된 군사 규제로 인하여 32년째 건축행위를 직접적으로 제한받고 있음. 일명 '고성군 용천 통신부대'로 인하여 건축행위 제한을 받고 있는 것임.

 – 군용 전기 통신설비로부터 2km 이내 건축행위 제한(법)

 – 무선 방위 측정장치 설치 장소 앙각 2도 이상의 건축행위 제한 등(시행령)

○ 이에 다음과 같이 관련 법령을 개정하거나 전향적인 입법정책 등을 청원하고자 함(우선순위)

① 고성 용촌 통신부대의 이전 등 청원

- 군통신 부대의 이전 또는 군통신 안테나의 다른 지역(산지 또는 해양) 이전 설치, 안테나의 높이 조절 청원

② '군사기지 및 군사시설보호법'과 같은 법 시행령 개정 입법 청원

- 군용 전기 통신설비로부터 2km 이내 건축행위 제한을 500m 이내로 축소하여 건축 제한 완화(법 개정 사항)

- 무선 방위 측정장치 설치 장소 앙각 2도 이상의 건축행위 제한 등을 앙각 7도로 싱향 조정하여 건축 제한 완화(시행령 개정 사항)

③ 가칭 '군사 규제 피해보상법' 제정 입법 청원

- '군용비행장 및 군사격장 소음방지 및 피해보상에 관한 법률', 댐 주변 지역 보상법 등과 같이 군통신 시설 등 군사 규제로 인한 피해도 보상받을 수 있는 법률의 제정을 입법 청원

[소개 의견]

접경지역 군사시설보호구역 등이 국가안보 등을 위해 불가피하게 설정·운용될 수밖에 없다는 점을 인정하지만, 지역주민의 재산권을 침해하고 지역 발전을 저해하는 불법·부당한 측면을 너무 오랫동안 방치하였고, 대체지 및 대안정책의 탐색 등 해결 의지가 약했던 것으로 보임.

특히, 강원도 고성군 토성면 용천리, 속초시 장사·영랑·동명·금호동 일원은 '군사기지 및 군사시설보호법' 제3조 및 같은 법 시행령 제9조에 따라 설정된 군사 규제로 인하여 32년째 건축행위를 직접적으로 제한받고 있어 지역주민들의 인내가 임계점에 와 있음에 따라 이에 대한 해결책이 조속히 마련되어야 할 것으로 사료됨.

따라서 청원서에서 제시하는 3가지 방안에 대하여 심도 있는 논의를 거쳐 하루빨리 정책적인 대안과 입법·예산적인 해결 조치를 통해 민생현안을 해결하여야 할 것으로 판단됨. 소개의원 : 교섭단체(정당) 더불어민주당 성명 송기헌 국회의원 (인)

2023년 5월 2일

제5장
새로운 설악광역권 시대를 맞이하는 비전과 정책

속초·인제·고성·양양의 **백년대계 미래비전**

"30만 설악광역권 시대" 전략계획수립 최우선 추진

북방·평화경제 중심지(허브) 도약, 미래 100년 먹거리산업 육성 등 상생 협력발전 할 수 있는 "30만 설악광역권 시대" 전략계획 수립을 추진합니다.

- 북방·평화경제 중심지(허브) 도약
- 신성장동력, DMZ특화관광 등 100년 먹거리산업 육성
- 설악~금강 국제평화도시조성 (선진형 산촌주거단지 및 휴양지대 등)
- 제4차 강원도 종합계획(2021~2040) 설악광역권 반영
- 군인의 주민주소 거소이전 법제화로 인구유입 및 세수확보

SMART CITY

01

이재명을 만난 경기도 토론회에서 발표하다

안녕하십니까, 박상진 남북강원도협력협회 이사입니다.

이 교수님의 훌륭한 발표 잘 들었습니다. 발표 내용과 관련하여, DMZ 활용방법 중 개발론자(developmentalist)의 견해인 평화공업 단지의 건설 등도 복합적 활용의 측면에서 검토가 필요하다고 봅니다. 특히, 강원 고성의 경우 금강산 육로관광 재개, 군부대 이전, 동해북부선 착공 등을 감안하여 대륙 물류기지단지 조성, 남북합작 공단 조성, 해상풍력 등 남북 합작 사업의 추진이 필요하다고 봅니다.

다음, 강원 고성의 DMZ 내에 있는 고성 GP의 평화적 활용과 지방정부의 역할 및 정책 방향에 대해 살펴보겠습니다. 아시다시피 DMZ 평화지대화는 분단 체제와 정전 체제를 넘어서는 상징성과 대표성을 가집니다. 이러한 근본적인 시각에서 남북한은 2018년 4.27 판문점선언 이행을 위한 군사 분야 합의서에서 DMZ의 평화적 이용에 대해 합의하였다. 발표문과 같이 평화적 이용 대상 지역은 고성(동부), 철원(중부), 파주(서부) 등 3개 지역입니다.

그중 고성의 DMZ 평화의 길은 총 16km이며 A코스, B코스, C코스로 구성된다. A코스, B코스는 2019년 4월 27일 개방되었습니다. 이후 아프리카돼지열병(ASF)의 여파로 2019년 9월 30일 중단되었습니다. 그때까지 1만 1,969명이 다녀갔다고 고성군은 밝히고 있다. 이 고성 GP(829GP, 보전 GP는 관광객에게 아직 개방된 적이 없습니다. 고성 GP는 1953년 6·25전쟁 이후 정전협정이 맺어지면서 남측 지역에 처음 지어진 GP다. 2019년 6월에는 문화재청이 이를 등록문화재 제752호로 지정하기도 했습니다.

19.6.17 언론보도에 따르면, 국방부가 고성 GP의 민간인 출입을 제한한다는 유엔군사령부의 방침을 공식 발표했습니다. 이러한 유엔사의 개방 불허 조치는 다음과 같은

직·간접적 측면의 의미를 가집니다.

우선, 남북한 교류 협력에 있어서 우리 쪽 노력의 미약으로 인한 교류 기반 조성의 약화가 초래된다는 점입니다. 이 불허 조치는 단기적으로는 군사 안보의 목적인 측면이 크지만, 남북 교류 협력의 측면에서는 주도적인 북한과의 교류 협력을 막는 측면이 있습니다. 종국적으로는 남북 관계 개선과 평화를 위한 노력을 약화시키는 주권 침해적 행위라고 보는 시각의 논리를 강화시켜 줍니다.

둘째, DMZ의 평화적인 활용의 상징성과 대표성을 희석시킵니다. 유엔사의 개방 불허 조치는 오히려 한반도 분단과 정전 체제 고착의 상징화, 군사적 긴장의 지속성, 남북 교류 전반의 교착상태의 장기화 등에 영향을 줄 수 있습니다.

셋째, 유엔사의 개방 불허 조치에 따라 고성 쪽에서는 'DMZ의 평화적 활용'이 사실상 전무한 측면이 있다. A코스, B코스가 GOP(남방철책선) 근처에서 운영되는 코스라고 볼 때 실제 DMZ 이용 코스는 C코스입니다. 따라서 유엔사의 C코스 개방 불허 조치에 따라 고성 쪽 DMZ의 평화적 이용은 사실상 전무하다고 할 수 있다. 이는 DMZ의 활용과 이와 연계된 남북 교류 사업이 현실적으로는 얼마나 어려운지를 반증하고 있다는 차원에서 문제의 깊이 있다고 본다.

넷째, 유엔사의 개방 불허 조치가 지역경제 발전의 효과 측면에서 상당한 장애요인으로 작용한다는 점입니다. 이 조치로 인해 고성의 경우, DMZ 내에 있는 고성 GP를 통한 차별화된 고성만의 한반도 평화 상징화 사업과 관광 등을 통한 지역 발전 계획이 무산될 처지에 있게 되었습니다.

이상의 측면에서 DMZ의 평화적인 이용을 위해, 해결 방법에 대한 고민과 지방정부의 역할 등이 아주 중요한 상황입니다. 이를 위해 우선, 접경지역을 관할하는 지자체 간 협약 등을 통한 공동 대응이 필요합니다. 접경지역 지자체 간 협약 등을 통해 가칭 "DMZ의 평화적인 활용을 위한 공동추진협의회"를 구성할 필요가 있습니다. 이를 통해 사안의 발생 시 공동으로 대응하고, 사전 연구 및 입법 과정과 유엔등의 대응에 있어서도 한목소리를 낼 필요가 있습니다.

둘째, 우리 정부 자체 또는 우리 정부와 유엔사 간 승인을 위한 프로세스의 점검과 제도화에 대한 검토가 필요하다고 봅니다. 고성 GP 개방 불허뿐만 아니라 최근 도라산

전망대에 대한 경기도 평화부지사 집무실 설치 불허 조치는 유엔사의 승인이 없었다는 이유로 불발된 사례입니다. 그런데 두 개의 사례의 경우, 우리 군의 경우는 조건부 동의 등을 하였으나 최종적으로 유엔사 승인을 받지 못했다는 것이 기본 이유입니다. 출입 금지의 사유와 관계없이 유엔사의 판단에 따라 전적으로 개방 여부가 결정되는 구조임이 구조에 대하여 절차적인 참여와 이의제기 시스템을 도입하는 방안을 검토할 필요가 있습니다.

셋째, 유엔사 설치의 실제 목적에 대한 개념 정립의 재설정 검토가 필요합니다. DMZ의 민간인의 출입 등은 DMZ의 남북 군사 충돌 방지라는 목적을 넘어섭니다. 따라서 DMZ의 민간인의 출입 등 평화를 증진시키는 행위에 대해서는 한국 정부에 판단여지를 충분하게 허용하고, 승인의 기준 또한 완화해서 적용하도록 하는 방안을 추진할 필요가 있습니다.

넷째, 남북과 정전위 3자 체제가 가동되어 DMZ의 평화적인 이용에 대한 세부적인 합의가 필요합니다.

다섯째, 접경지역의 지원 및 DMZ의 평화적 활용을 위한 평화경제 특별조치법 등의 제정을 적극 검토해야 합니다.

가칭 접경지역의 지원 및 DMZ의 평화적 활용을 위한 평화경제 특별조치법의 제정을 검토할 필요가 있습니다.

이 법안에는 유엔사의 DMZ 개방 불허에 대한 지자체와 우리 정부의 요청 및 이의제기의 절차적인 시스템에 관한 부분이 포함되도록 해야 합니다. 또한 DMZ의 평화적인 활용을 위한 지방정부의 계획 수립 입안권, 계획집행권, 재원 조달, 공동 대응 등에 대한 내용을 담아야 합니다.

지방정부의 역할을 다른 차원에서 강화할 필요가 있습니다. 그래야만 DMZ의 평화적인 활용이 적극 추진되고 제도화되는 길이 열릴 것입니다. 그리고 이것이 한반도의 평화와 번영을 여는 단초가 될 것입니다.

2021년 1월 4일 보도 참고 자료

02

한반도와 설악금강권 광역 발전 전략을 위해

설악금강권 지역에는 이미 2001년 양양공항이, 2009년 서울–양양고속도로가 완공되었습니다. 2022년 올해 1월 5일 동해북부선 착공식이 있었으며, 2022년 2월부터 춘천–속초 동서고속화철도의 공사가 시작됩니다. 이미 2016년 동해고속도로 속초 나들목이 개통되었고, 동해고속도로 고성 구간은 2022년 1월 "정부 제2차 고속도로 건설계획"에 반영되었습니다. 명실공히 설악금강권에 수도권 접근성을 높이고 통합적·종합적 발전을 가능하게 하는 광역교통망 시대가 열리고 있는 것입니다.

지역 발전을 추동하는 요소에는 여러 가지가 있지만, 지리적인 접근성을 개선하기 위한 광역교통망의 조성은 지역 발전의 기초적인 물리적인 구조를 만드는 것입니다. 그 물리적인 구조가 지역 발전을 위한 기능을 수행하고, 이것을 통해 인적 왕래가 활발하게 되고, 물류가 흐르고 일자리가 생기는 사회적 관계의 형성과 새로운 변화가 생기게 됩니다. 그러한 과정에서 소프트한 제도와 문화가 새롭게 정립된다고 생각합니다.

그런데, 설악금강권에는 본격화되는 광역교통망 시대에 부응하는 시·군을 광역적으로 연결하는 기능적 측면의 광역계획조차 아직 수립되어 있지 않습니다. 요즈음 거론되고 있는 메가시티가 광역계획을 토대로 하는 광역도시권 조성이라고 볼 때, 역사적으로 동일 경제문화권역인 설악금강권의 광역계획 수립과 광역도시권 조성은 시급히 추진되어야 합니다. 그래야만 설악금강권이 천혜의 세계적인 관광자원을 가지고 있음에도 인구 '소멸위험지역'으로 분류되고 있는 저발전·저성장의 낙후성을 근본적으로 뛰어 넘어설 수 있습니다. 그리고 이러한 동해북부선 신설 등 광역적 정책은 남북 관계와 한반도를 둘러싸고 있는 국제관계의 외생변수가 직·간접으로 연결되어 있기 때문에 이를 고려한 정책의 수립과 집행이 반드시 필요합니다.

2023년 2월 9일

03

한반도와 설악금강권 광역 발전 전략 대토론회

한반도라는 지정학적 위치에 있는 대한민국은 대전환의 시대를 맞이하고 있습니다. 코로나19 팬더믹, 저성장 및 양극화, 기후 위기, 4차 산업혁명, 지방소멸, 남북관계의 고착화, 미중패권의 새로운 국제질서 등 급변하는 대한민국의 전환적 상황속에서 설악 금강권의 미래를 고민하지 않을 수 없습니다.

이에 광역교통망 시대를 맞이하여 설악금강권의 발전 전략을 한반도와 광역적 발전의 시각에서 정책토론회를 개최함으로써 더 나은 미래를 좀 더 빨리 체계적으로 준비하는 데 일조하고자 합니다.

설악금강권 지역에는 이미 2001년 양양공항이, 2009년 서울-양양고속도로가 완공되었습니다. 2022년 올해 1월 5일 동해북부선 착공식이 있었으며, 2022년 2월부터 춘천-속초 동서고속화철도의 공사가 시작됩니다. 이미 2016년 동해고속도로 속초 나들목이 개통되었고, 동해고속도로 고성 구간은 2022년 1월 '정부 제2차 고속도로 건설계획'에 반영되었습니다.

명실공히 설악금강권에 수도권 접근성을 높이고 통합적·종합적 발전을 가능하게 하는 광역교통망 시대가 열리고 있는 것입니다. 지역 발전을 추동하는 요소에는 여러 가지가 있지만, 지리적인 접근성을 개선하기 위한 광역교통망의 조성은 지역 발전의 기초적인 물리적인 구조를 만드는 것입니다. 그 물리적인 구조가 지역 발전을 위한 기능을 수행하고, 이것을 통해 인적 왕래가 활발하게 되고, 물류가 흐르고 일자리가 생기는 사회적 관계의 형성과 새로운 변화가 생기게 됩니다. 그러한 과정에서 소프트한 제도와 문화가 새롭게 정립된다고 생각합니다.

그런데, 설악금강권에는 본격화되는 광역교통망 시대에 부응하는 시·군을 광역적으로 연결하는 기능적 측면의 광역계획조차 아직 수립되어 있지 않습니다. 요즈음 거론되고 있는 메가시티가 광역계획을 토대로 하는 광역도시권 조성이라고 볼 때, 역사적으로 동일 경제문화권역인 설악금강권의 광역계획 수립과 광역도시권 조성은 시급히 추진되어야 합니다.

그래야만 설악금강권이 천혜의 세계적인 관광자원을 가지고 있음에도 인구 '소멸 위험지역'으로 분류되고 있는 저발전·저성장의 낙후성을 근본적으로 뛰어 넘어설 수 있습니다. 그리고 이러한 동해북부선 신설 등 광역적 정책은 남북 관계와 한반도를 둘러싸고 있는 국제관계의 외생변수가 직·간접으로 연결되어 있기 때문에 이를 고려한 정책의 수립과 집행이 반드시 필요합니다.

그래서 이러한 한반도와 지역 이슈에 대한 진단과 정책 방향을 고민하기 위한 이번 토론회에 우리나라 최고의 정책통이시고 정책 실현 역량을 가지고 계신 이광재 국회 외교통일위원장님과 남북 교류·협력 등을 통한 지역 발전에 전문가이신 이헌수 남북강원도협력협회 이사장님 그리고 도시계획, 메가시티 및 국토 균형 발전 분야 최고의 전문가이신 류종현 강원연구원 박사님과 김태환 국토연구원 소장님을 모셨습니다. 또한 설악금강권을 비롯하여 우리나라의 국가·지역 아젠다에 정통하신 김영식 강릉원주대 교수님과 최병수 강원일보사 전무님을 모셨습니다.

이번 토론회가 한반도의 외생변수와 연계된 설악금강권의 광역적 미래 발전의 준거적인 정책 방향을 제시함과 동시에 남북 교류 협력의 관계 속에서 낙후된 접경지 설악금강권의 발전이 대한민국의 발전을 견인하는 실천적인 정책과제를 도출하는 데 기여하길 소망합니다. 또한 이러한 민간 주도의 정책토론회가 설악금강권 지역에서 자주 개최되어 지역 발전의 비전과 방향을 앞으로도 지속적으로 제시해 주기를 기대합니다.

오늘 제시된 정책과제에 대해서는 향후 이를 요약·정리하여 언론 브리핑 등을 실시하고, 다방 면에서 국가입법 및 정책에 반영되도록 노력할 예정입니다. 여기 계신 모든 분들이 함께 해 주시길 기대합니다.

감사합니다.

2022년 2월 9일

04

설악금강권 광역 발전 전략의 지향점

오늘 강원도 고성의 아름다운 해변가 이곳에서 "설악금강권 광역 발전 전략 대토론회"를 개최하게 되어 한량없이 기쁘게 생각합니다. 그동안 속초·고성·양양·인제 등 설악금강권에서는 제 기억으로 시·군 자치 단체 주관 정책토론회는 가끔 열렸으나, 순수 민간 단체 주관으로 열린 정책토론회는 많지 않았던 것 같습니다.

그동안 지역 이슈에 대한 정책토론회가 필요하다는 공감대가 계속 형성되어 왔고, 지난 1월 5일 동해북부선 착공을 계기로 오늘의 민간 주도 정책토론회가 열리게 되었습니다. 설악금강권에서 지역 이슈를 다루는 민간 주도의 정책토론회가 어려움 속에서도 닻을 올리게 되었습니다.

오늘의 민간 주도 대토론회가 개최되기까지는 정말 많은 분들의 도움이 있었습니다. 이광재 국회 외교통일위원장님께서 바쁘신 일정 가운데에서도 주저 없이 축사를 해 주시기로 하였고, 강원일보 최병수 전무님께서 여러 가지 지원을 아끼지 않으셨습니다. 또한 사단법인 남북강원도협력협회 이헌수 이사장님, 강원연구원 류종현 선임연구위원님과 강릉원주대 김영식 교수님께서 토론회의 주제, 내용 및 토론자 섭외 등에 대해 많은 도움을 주셨습니다. 특히, 먼 길 마다하지 않고 참석해 주신 김태환 국토연구원 국가균형발전지원센터 소장님께 진심으로 감사의 말씀을 드립니다. 그리고 오늘 행사를 위해 준비해 주신 이 지역의 대표적인 정책연구단체인 설악광역포럼·미래정책연구소 회원님들께 감사의 말씀을 드립니다.

특별히 오늘 바쁘신 가운데에도 오로지 지역 발전의 열정과 뜻을 가지고 이 자리에 참석해 주신 분들께 존경과 경의를 표합니다. 늘 간과하기 쉽고 포기할 수밖에 없는 지역 여건 속에서도 지역 이슈에 대해 고민하고, 지역의 삶을 바꾸기 위해 적극적으로 생각하고 실천하시는 분들이 많이 참석해 주셨습니다. 지역의 미래는 오늘 참석해 주신 분들의 손에 달려 있다고 하면 너무 큰 과찬인가요. 아니라고 생각합니다. 함께 하는 것만으로도 설악금강권의 미래가 달라진다고 생각합니다. 참석해 주셔서 정말 감사드립니다. 종합토론 때 좋은 의견도 부탁드립니다.

한반도라는 지정학적 위치에 있는 대한민국은 대전환의 시대를 맞이하고 있습니다. 코로나19 팬더믹, 저성장 및 양극화, 기후 위기, 4차 산업혁명, 지방소멸, 남북 관계의 고착화, 미중패권의 새로운 국제질서 등 급변하는 대한민국의 전환적 상황속에서 설악금강권의 미래를 고민하지 않을 수 없습니다. 이에 광역교통망 시대를 맞이하여 설악금강권의 발전 전략을 한반도와 광역적 발전의 시각에서 정책토론회를 개최함으로써 더 나은 미래를 좀 더 빨리 체계적으로 준비하는 데 일조하고자 합니다.

설악금강권 지역에는 이미 2001년 양양공항이, 2009년 서울-양양고속도로가 완공되었습니다. 2022년 올해 1월 5일 동해북부선 착공식이 있었으며, 2022년 2월부터 춘천-속초 동서고속화철도의 공사가 시작됩니다. 이미 2016년 동해고속도로 속초 나들목이 개통되었고, 동해고속도로 고성 구간은 2022년 1월 '정부 제2차 고속도로 건설계획'에 반영되었습니다. 명실공히 설악금강권에 수도권 접근성을 높이고 통합적·종합적 발전을 가능하게 하는 광역교통망 시대가 열리고 있는 것입니다.

지역 발전을 추동하는 요소에는 여러 가지가 있지만, 지리적인 접근성을 개선하기 위한 광역교통망의 조성은 지역 발전의 기초적인 물리적인 구조를 만드는 것입니다. 그 물리적인 구조가 지역 발전을 위한 기능을 수행하고, 이것을 통해 인적 왕래가 활발하게 되고, 물류가 흐르고 일자리가 생기는 사회적 관계의 형성과 새로운 변화가 생기게 됩니다. 그러한 과정에서 소프트한 제도와 문화가 새롭게 정립된다고 생각합니다.

그런데, 설악금강권에는 본격화되는 광역교통망 시대에 부응하는 시·군을 광역적으로 연결하는 기능적 측면의 광역계획조차 아직 수립되어 있지 않습니다. 요즈음 거론되고 있는 메가시티가 광역계획을 토대로 하는 광역도시권 조성이라고 볼 때, 역사적으로 동일 경제문화권역인 설악금강권의 광역계획 수립과 광역도시권 조성은 시급히 추진되어야 합니다. 그래야만 설악금강권이 천혜의 세계적인 관광자원을 가지고 있음에도 인구 '소멸 위험지역'으로 분류되고 있는 저발전·저성장의 낙후성을 근본적으로 뛰어넘어 설 수 있습니다. 그리고 이러한 동해북부선 신설 등 광역적 정책은 남북 관계와 한반도를 둘러싸고 있는 국제관계의 외생변수가 직·간접으로 연결되어 있기 때문에 이를 고려한 정책의 수립과 집행이 반드시 필요합니다.

그래서 이러한 한반도와 지역 이슈에 대한 진단과 정책 방향을 고민하기 위한 이번 토론회에 우리나라 최고의 정책통이시고 정책 실현 역량을 가지고 계신 이광재 국회 외교통일위원장님과 남북 교류·협력 등을 통한 지역 발전에 전문가이신 이헌수 남북강원도협력협회 이사장님 그리고 도시계획, 메가시티 및 국토균형발전 분야 최고의 전문가이신 류종현 강원연구원 박사님과 김태환 국토연구원 소장님을 모셨습니다. 또한 설악금강권을 비롯하여 우리나라의 국가·지역 아젠다에 정통하신 김영식 강릉원주대 교수님과 최병수 강원일보사 전무님을 모셨습니다.

이번 토론회가 한반도의 외생변수와 연계된 설악금강권의 광역적 미래 발전의 준거적인 정책 방향을 제시함과 동시에 남북 교류 협력의 관계 속에서 낙후된 접경지 설악금강권의 발전이 대한민국의 발전을 견인하는 실천적인 정책과제를 도출하는 데 기여하길 소망합니다. 또한 이러한 민간 주도의 정책토론회가 설악금강권 지역에서 자주 개최되어 지역 발전의 비전과 방향을 앞으로도 지속적으로 제시해 주기를 기대합니다.

오늘 제시된 정책과제에 대해서는 향후 이를 요약·정리하여 언론 브리핑 등을 실시하고, 다방 면에서 국가입법 및 정책에 반영되도록 노력할 예정입니다. 여기 계신 모든 분들이 함께 해 주시길 기대합니다.

다시 한번 오늘 이 자리에 참석해 주신 분들과 유튜브 등을 통해 관심과 성원을 해 주시는 모든 분들께 깊이 감사의 말씀을 드립니다. 감사합니다.

2022년 2월 9일

05

한반도와 설악금강권의 새로운 희망을 보다

어제(22.2.9) 14:00 고성군 르네블루바이워커힐호텔에서 〈설악금강권 광역 발전 전략 대토론회〉가 개최되었습니다. 저희 설악광역포럼과 강원일보사, (사)남북강원도협력협회, 미래정책연구소가 주최하였습니다.

방역패스 적용과 인원 제한으로 초청·선착순 입장을 안내하였음에도 정말 많은 분들이 참석해 주셨습니다. 대회의실 기준 대략 2~3배 초과된 분들이 오신 것 같습니다. 대한민국과 설악금강권의 미래에 대한 뜨거운 열망과 간절한 소망을 확인하는 자리였습니다. 함께 해 주신 모든 분들께 감사드립니다. 특히, 2시간 40분 동안 끝까지 자리를 지킨 분들께 감사드립니다.

이광재 국회 외교통일위원장님께서 지역 발전의 미래 핵심 과제를 진단하고 해결 방안을 제시해 주셨습니다. 기조 발표하신 이헌수 (사)남북강원도협력협회 이사장님께서는 남북 평화가 설악금강권과 동해안의 발전을 견인해야 하는 역사적 당위성과 구체적인 발전 방안을 제안하셨습니다.

주제 발표를 해 주신 류종현 강원연구원 선임연구위원께서는 30만 설악광역도시권 조성을 제안하면서 이를 담보하기 위한 정책 방향에 대해 자세히 설명해 주셨습니다.

지정토론자로 참석한 저는 1. 설악금강권 30만 조성, 2. 이를 위한 설악광역발전계획 수립, 3. 김대중 대통령때 수립된 '설악금강권 개발계획'의 온전한 실현, 4. 박정희 대통령때 조성된 설악산 인근지역 설악동의 '스위스 알프스형 모델로의 대대적인 재건사업' 실시, 5. 설악금강권의 평화경제구역 지정, 6. 이 구역 내에 평화관련 공공기관 이전, 서울대 통일병원 유치, 남북평화공단 등 설치, 7. 진부령 구간의 확포장을 통한 인제-속초-고성의 삼각형 교통체계의 완성과 인제-동해안 연계발전, 8. 물류단지 조성과 연계를 위한 영북 신항만 추진, 9. 금강산관광 재개와 그에 따른 재개 절차, 중단 시 손실보상에 관한 법률 사전 제정, 10. 동서 접경 지축, 백두대간축, 동해안축 발전 전략의 로드맵 수립

입법 형평성을 충족시키기 위해서는 순서대로 먼저, '강원도평화특별자치도법' 제정, 김대중 때 수립한 설악–금강 연계 관광 개발 계획 실현을 위한 '설악금강권평화특별구역법' 제정 또는 남북 정상이 18.9.9 평양에서 합의한 '동해안관광공동특구의 국회 비준 및 관광 특구법' 제정을 제안하였습니다.

한편, 어제 국회 행안위에서 강원도특별자치도법안(경제 중심)과 강원도평화특별자치도법안(평화 중심) 공청회가 있었습니다. 예상대로 두 개 법안에 대해 입법 형평성에 대해 문제 제기가 있었던 것으로 보입니다. 경제 중심 법안은 실현 가능성이 없고, 평화 중심 법안은 평화'의 특별성이 더 보완되어야 할 것입니다.

특별성 강화를 통한 보완의 방법은 김대중 대통령 때 수립된 '설악–금강 연계 발전 방안'을 주장하거나 18.9.9 남북이 합의한 '동해안 관광 공동특구'에 대해 국회 비준을 하고 이를 법률화하는 방법을 검토할 수 있습니다.

결국은 평화 경제, 남북 교류의 활성화가 그것을 담보할 것입니다. 앞으로 설악금강권에 더 많은 민간 주도 토론회가 열리길 희망합니다.

제안된 정책내용에 대해서는 입법과 정책에 반영되도록 함께 노력하길 소망합니다. 함께 힘을 모으길 기원합니다. 감사합니다.

2023년 2월 9일

06

대통령 선거, 지역민의 삶의 가치 제고가 최고의 목표로

 제가 대표로 있는 미래정책연구소·설악광역포럼이 공동 주최하는 제4회 민생정책포럼이 10월 30일(토) 16:30 속초 근로자복지회관에서 열립니다.

 '20대 대통령 선거와 설악광역권의 새로운 발전 전략'이란 주제로 열리는 이 정책포럼은 지방 속초에서 열리는 첫 번째, 공론화의 장으로 의미가 있다고 생각합니다. 대선 정책 포럼의 첫 공론화의 장이 변방 중의 변방 속초에서 열려 개인적으로는 자부심도 가집니다. 열린사회로 가기 위해서는 정보가 강 같이 흘러야 합니다. 그 강물은 지역 발전의 원천이 될 것입니다. 알아야 면장을 하는 것입니다.

 이 포럼을 계기로 설악광역권에 토론과 공론화의 장이 더욱 활성화되길 희망하고, 동해북부선 등 광역교통망이 확충되는 변화의 한가운데 있는 설악광역권이 새로운 지역 발전의 동력을 확보하며, 세상의 중심으로 나아가는 기회를 포착하길 소망합니다. 또한 이 대선 정책 포럼을 시발로 전국적으로 많은 대선 정책토론회가 열려 미래의 새로운 대한민국을 만드는, 일 잘하는 대통령을 뽑는 데 도움이 되었으면 합니다.

2021년 10월 30일

K 미래정책연구소
K. Future Policy Institute

민생정책 포럼

제4회

20대 대통령선거와
설악광역권의 새로운 발전전략

" 설악광역권의 새로운 발전을 모색하는 첫번째
공론화의 장에 뜻있는 분들을 모시고자 합니다 **"**

설악광역포럼   대표 박상진 드림
미래정책연구소

2021.10.30 (토) 16:30 ~ 17:40
속초근로자복지회관

○ 개회
○ 내빈소개
○ 인사말
○ 축사 : 고영진 설악신문 대표
○ 주제발표 : 김영식 강릉원주대 교수
○ 지정토론 : 전형배 데일리 F&C 대표
○ 지정토론 : 김길수 평택대 외래교수(전)
○ 종합토론 및 질의응답

| 주최: 설악광역포럼, 미래정책연구소 | 후원: 설악신문, 동해안비전포럼

07
동해북부선 조속 연결 등 촉구 한러협력 학술회의 열려

10월 22일 서울에서 한러교류협회 주관으로 '포스트 코로나 시대 한러협력방안'이라는 주제로 학술회의가 열렸다. 학술회의에는 방교영 한러교류협회장, 안드레이 쿨릭 주한러시아 대사, 이석배 주러시아 대사, 박상진 전 국회 차관보급 수석전문위원 등이 참석했다.

강릉원주대학교 환동해북방연구소장인 김영식교수는 '동해북부선 연결과 남북러 삼각협력'이라는 주제로 발표했다. 이 학술회의에서 북방교류 및 정책전문가인 김영식교수는 "동해북부선의 연결은 러시아산 PNG를 국내로 가져오는 등 남북러간 경제교류와 물류산업 등의 활성화에 핵심적 역할을 할 것이다"라고 주장했다.

한편, 실제 동해북부선이 지나는 속초고성에 거주하고 평통 중앙 상임위원인 박상진 전 국회 수석전문위원은 "어느 당이 제기한 동해북부선 사업 중지 논란은 속초고성양양 지역주민의 분노를 일으키고 있으며, 이 지역의 미래를 저버리는 것이다"라고 하면서 "이 학술회의를 계기로 동해북부선이 지역민의 삶을 개선하도록 예산과 노선이 확정되어야 하고, 내년 새로운 정부 출범에 따라 그동안과 차원 다른 남북러 삼각 협력을 통해 새로운 대한민국의 북방경제의 동력원으로 작용하기를 희망한다"라고 말했다.

특히 그는 "이번 학술회의를 계기로 동해북부선 등 북방 교류 협력 정책이 전문가 그룹을 통해 대선 공약에 반영되어 새로운 대한민국을 만드는 데 잘 활용될 필요가 있다"라고 강조했다.

2021년 10월 24일 보도 참고 자료

08

재정개혁의 핵심은 혈세 낭비 없이 모두 행복한 세상 구현

오늘(9.23) 〈차기 정부를 위한 재정개혁 정책 심포지엄〉에 옵서버로 참석했습니다. 맹성규, 홍익표, 박홍근, 양경숙, 장혜영, 용혜원, 이광재 의원이 주최하였습니다. 재정개혁의 핵심은 혈세를 혈세답게 사용해서 국민 모두가 잘살도록 성과를 내자는 것입니다.

재정 세입의 측면에서 세금은 '낮은 세율, 넓은 세원'의 틀 내에서 공정하고 적정하게 부과되어야 합니다. 혈세입니다. 40조가 넘는 조세감면 등이 공평과세에 부합하는지도 보아야 합니다. 감면 규정의 효력상실 원칙이 잘 적용되어야 합니다. 증세는 최후의 선택으로 할 수 있습니다.

한 해 수조원에 달하는 근로장려세제 등이 세입예산에 편성되지 않고 국세청에 의해 바로 지급되는 것이 타당한지도 다시 봐야 합니다. 세금의 누수는 써야 할 재원을 부족하게 합니다. 세입이 정확하게 추계되고 산정되어야 합니다.

재정 세출의 측면에서 예산은 투명하게 효율적인 방법을 통해 아껴 쓰면서 효과와 성과를 내야 합니다. 부당하게 많이 가져가거나 엉뚱한데 쓰여져 자원배분이 왜곡되면 안 됩니다. 양극화와 불평등을 재정이 초래해서는 안 됩니다.

혈세답게 모두의 편익을 실질적 형평성의 원칙 하에 증진하도록 쓰여져야 합니다. 불용액과 세계잉여금이 과다하게 발생해서는 안 됩니다. 지출구조조정이 필요한 이유입니다. 제로에서 생각해야 합니다. 세워진 예산에 따라 성과가 나야 합니다. '더 큰 성과 창출에는 더 큰 예산'이 전략적으로 집행되어야 합니다.

이 세입세출은 민주적인 과정을 거쳐 국민이 합의한 대한민국의 비전과 미래가치를 전략적으로 구현하는데 사용되어야 합니다. 장기목표와 재정 운용성과 계획이 필요한 이유입니다. 세입세출과 중장기재정계획이 모두 잘 사는 대한민국 비전과 잘 매칭되어야 합니다.

이번 재정개혁 심포지엄은 세출 측면에 가장 피부에 와 닿는 '내집 마련, 노후연금, 돌봄교육'에 대해 국가 책임성을 전면에 내세우고 있습니다. 예산이 국민을 위해 직접적으로 쓰여져야 한다는 예산정책 원칙에 부합합니다. 예산의 우선순위와 성과 창출의 직접성을 잘 고려했습니다.

시의적절성뿐만 아니라 새로운 개혁 과제를 제시하는 이 심포지엄이 농업, 국방, 복지 등 전 분야의 국가 재정개혁에 물꼬를 열 것으로 기대합니다. 하나씩 준비해야 합니다. 그래야 전환의 시기, 위기의 시기를 넘어 새로운 대한민국이 열릴 것이라 봅니다. 이제 그중 하나를 제대로 시작했습니다.

2021년 9월 23일

09

여야 대선후보는 설악권 발전 공약 내라

어제(10.30) 미래정책연구소와 설악광역포럼이 공동주최한 대선 정책토론회가 잘 마무리 되었습니다.

코로나19, 지역행사와 정책 포럼 무관심 등에도 불구하고 많은 분들이 참석하여 기존 시간보다 대략 40분 넘어 포럼이 종료될 정도로 큰 관심을 보여 주셨습니다.

20대 대통령 선거를 앞두고 설악권 지역 발전의 힘을 모을 수 있는 희망을 보았습니다. 대한민국의 미래에 대한 관심도를 느낄 수 있었습니다.

주제 발표에서는 국민의힘 강원도 대선 공약 예시로서 강원도 규제개혁, 미래형 경제강원특별자치도, 탄소 중립 산업 특구, 교육 문화 안전, 재정 자립도 10% 향상, 제주 등 내국인 출입카지노 추가 신설, 북극항로 활용 등이 소개되었습니다.

그리고 더불어민주당 대선 공약 예시로는 강원도평화특별자치도, 광역 교통망 확충, 금광산 관광 재개, 바이오 및 디지털 헬스 케어, 액화 수소 융복합 클러스트, 빅테이터, 수소경제경제특구 등이 소개되었습니다.

주제 발표에서 제시된 추가적인 설악광역권 발전 전략으로는 해상국립공원, 해상케이블카, 수륙양용차 운행, 설악산 내 숙박시설 전면 목조화 및 트램 설치, 강원도 제2청사, 강원연구원 분원, 동해북부선의 조기 착공 및 물류 기능 강화, 속초항의 크루즈항, 남북 강원도 경제 협력 강화 등이 제시되었습니다.

이 주제 발표를 토대로 설악권과 관련하여 다음과 같은 시사점과 검토 사항을 생각해 볼 수 있습니다.

첫째, 여야 모두 설악광역권 발전과 관련된 공약은 없거나 기존 정책의 나열만이 있다는 생각입니다.

둘째, 여야의 강원도 공약 자체도 크게 다르지 않다는 것입니다. 강원도특별자치도 법, 광역교통망 확충, 수소경제특구 등은 여야 모두 비슷한 강원도 공약입니다.

셋째, 여야 공통적이나 차이가 있는 공약은 강원도특별자치도법 제정 공약입니다.

민주당은 '강원평화특별자치도특별법안'을, 국민의힘은 '강원특별자치도 설치 및 환동해경제자유특구 지정 특별법안'을 제출해 놓았습니다.

그런데 입법의 형평성 및 실효성 측면에서 국민의힘의 법안은 추가 검토가 필요하긴 하지만 국회 통과의 가능성이 낮다고 볼 수 있습니다. 왜냐하면 특별법을 제정할만한 특별한 요소들을 법리적으로 구성하지 못하고 있습니다. 다만 경제를 지향하는 측면에서의 입법 목적은 강원도의 현실에 유용합니다.

이 법안은 강원도의 낙후성과 접경지를 근거로 제안되었는데 낙후된 경북지역, 경기 북부 지역 등과의 형평성 측면에서 통과가 어려울 수 있습니다. 또한 특별해야 국가의 특별한 재정 지정 등이 이루어지는데 그 특별성도 없고, 제주도처럼 내국인 면세점을 운영하여 개발사업을 추진하는 제주국제자유도시개발센터(JDC, 내국인 면세점 운영) 운영 등 자체 재원 조달 방법이 없기 때문에 개발 등이 실효적이지 못할 수 있습니다.

또한 제주도처럼 비자 면제 등 외국인 투자유치 등의 메리트가 없기 때문에 경제자유구역 지정의 효과를 내기 어려운 구조입니다.

다만, 민주당 법안도 비슷한 문제점이 있고, 재정지원의 실효성은 떨어지지만, 통일 기여, 접경지, DMZ, 금강산 관광 지원, 남북 합의 동해안 관광 특구 지정, 동해북부선 철도 등 평화 경제의 특별한 요소들을 법리적으로 잘 엮으면 특별법 제정의 입법 목적에 부합될 가능성이 높아 국회 통과의 가능성이 있다고 볼 수 있습니다. 함께 힘을 모아야 할 지점이 있는 것입니다.

그리고 평화 경제는 설악광역권 그리고 대한민국의 미래이기 때문에 입법 형평성 등을 넘어서는 국가 운영의 특별한 경우에 해당되는 법리를 구성할 수 있습니다.

넷째, 결국 여야 모두 설악광역권의 새로운 공약을 제시하지 못하고 있기 때문에 우리 지역은 새로운 정책을 스스로 만들어 제시할 필요가 있다는 시사점을 얻을 수 있었습니다. 20대 대선을 앞두고 발전의 기회를 포착하고 만들어 가기 위해선 우리 지역 스스로 정책을 만들고 여야 모두가 이를 채택하도록 해야 합니다.

마지막으로, 제가 생각하는 발전 전략은 다음과 같습니다.

우선, 광역교통망 확충에 따른 기속력 있는 설악광역권 발전 종합계획을 수립하여 함께 상생 발전할 수 있도록 시너지 효과를 내도록 해야 합니다. 30만 광역도시권 조성을 위한 입법 및 예산지원이 되도록 설계해야 합니다. 이를 특별법 시행령 등에 담아야 합니다.

둘은 동해안·태평양 축, 접경지· 동서축, 백두대간 축 3가지 경로를 중심으로 자연환경과 인문 등을 고려한 발전이 이루어져야 합니다.

셋은 동서고속철, 동해북부선과 양양공항의 입지를 활용한 물류 기능을 강화하는 지역 개발 전략을 통해 물류 등 연관 산업을 '의도적' 유치를 해야 합니다. 종국적으로 북한, 북방, 태평양 등으로의 물류 처리를 위해 설악광역권에 신항만도 신설되어야 합니다.

넷은 인구소멸을 방지하기 위하여 평화 특례시 지정, 통일 기반 대학병원 유치, 남북합동 국제공단 조성 등도 검토가 필요합니다.

이제 총론의 토론회가 끝났습니다. 다른 형태로 각론의 심도 있는 토론회도 준비하고 있습니다. 앞으로도 오로지 우리 지역과 대한민국의 새로운 발전을 위해 개최하는 토론회에 많은 관심과 성원을 부탁드립니다. 모든 어려운 여건에도 불구하고 참석해 주신 분들께 특별히 감사 말씀을 드립니다.

감사합니다.

2023년 10월 30일

10
양양에서 첫 번째 열린 동해북부선 토론회

어제 이른 아침 간만에 속초의 겨울항 동명항을 찾았습니다. 어제(2.25일, 목) 양양군 의회에서 열린 '동해북부선 전문가 초청 포럼'은 설악권 현안에 대한 공론화 과정의 이정표가 될 것이라 생각합니다.

1. 의회 본회의장에 '진짜 주인'이 출입하여 '자유발언'을 한 것입니다.
2. 풀뿌리 민주주의의 현장이 구현되었습니다.
3. 복잡하고 분란의 소지가 있을 수 있는 절차적 과정이 올바른 정책 방향을 설정할 수 있다는 '믿음'을 확인할 수 있었습니다.
4. 알권리와 정확한 정보가 올바른 생활정 치의 근간임을 다시 확인하게 하였습니다.
5. 전문가의 전문적인 의견을 토대로 제시된 주민들의 의견이 더 전문적이었습니다. 지역의 삶과 직결된 문제이기 때문입니다.
6. 지역 현안에 대한 공감대를 형성해 가는 모습을 보면서 지역 미래의 발전에 대한 상상력을 펼치는 계기가 되었습니다.
7. 공론화의 일부 과정으로서 성공적인 '의회 포럼'을 통한 주민 의견의 집약화와 주민 의견의 관철화도 민주적 절차에 따라 잘 진행될 것으로 생각합니다.
8. 향후 설악권 광역 현안에 대해 설악권 지자체와 주민 간 "설악권광역토론회" 등이 활성화되길 기원합니다.
9. "설악권광역계획"도 수립해야 합니다.
10. 문득 제2 강원연구원이 설악권에 신설되어야 하지 않을까 생각해 봅니다.

2023년 2월 25일

11
설악금강권 광역 발전의 비전

이광재 더불어민주당 강원도지사 후보는 15일 오후 속초시청 브리핑실에서 설악 금강권 광역 발전 비전 선포식을 가졌다.

이후보는 이날 "대규모 국책프로젝트 '바다가 있는 스위스'로 동해안 대전환을 속도감 있게 추진, 설악금강권을 관광레저와 해양수산업의 1번지로 거듭나게 하겠다"라고 발표했다. 이 후보는 ▲ 30만 설악·금강권 광역 발전 전략, ▲ 설악·금강권 해양수산기업도시 조성, ▲ 트레킹코스 등 설악산둘레길 조성, ▲ 양양-강릉 일대 글로벌 교육도시 조성, ▲ 경동대학·가톨릭관동대 부지 활용 등을 5가지 공약을 제시했다.

이를 위해 △ 동해안 발전청 설치, △ 오색케이블카 조기 착공, △ 동원산업 스마트 양식 산업단지 조성, △ CJ씨푸드 유치, △ 바다 사막화 해결을 위한 '다시마숲' 조성, △ 지역 체류형 워케이션 거점 조성 등 구체적인 방안들도 소개했다.

이번 '설악 금강권 광역 발전 비전 선포'의 핵심 내용인 30만 설악·금강권 광역 발전 전략 수립 등은 지난 2월 9일 설악 광역 포럼과 강원일보사가 고성에서 주최한 '설악금강권 광역 발전 대토론회'에서 제기된 내용이다. 이광재 후보가 속초·고성·양양·인제 지역주민의 요청 사항를 전격적으로 수용하여 공약화한 것으로 향후 이 정책이 실현되는 경우 설악금강권의 광역적인 상생발전과 도약이 실제화되는 모멘텀을 만들지 주목된다.

이날 비전 발표식에는 주대하 속초시장 후보, 함명준 고성군수 후보, 김정중 양양군수 후보 등 설악금강권의 더불어민주당 후보들이 함께했다. 한편 이광재 후보는 비전 발표 이후 주대하 속초시장 후보 선거사무실 개소식 등에 참석하여 주대하 후보가 속초시장이 되어야 하는 내용의 축사를 하는 등 선거운동 일정을 소화했다.

2022년 5월 17일 보도참고자료

12

새로운 동해안 시대를 열자

안녕하십니까. 동해안비전포럼 공동대표를 맡고 있는 박상진입니다. 지금부터 동해안비전포럼 출범 경과를 보고드리도록 하겠습니다.

지난 2020년 10월과 12월에 속초 박상진 전 국회차관보급 수석전문위원과 강릉원주대학교 김영식교수는 속초와 강릉 등에서 동해안비전포럼 창립에 관해 몇 차례 준비모임을 가졌으며, 김영식 교수와 과 동해 안승호 대표께서도 동해와 강릉에서 몇 차례의 만남을 통해 동해안비전포럼 창립의 필요성에 대해 논의를 했습니다.

그리고 지난 5월 29일에 강릉에서 강릉 김영식 교수, 속초 박상진 전 차관보, 동해 안승호 대표, 강릉 김남희 더불어민주당 강릉 지역위 사무국장, 강릉 장희재 대표 등이 모여, 6월 3일에 출범할 동해안비전포럼 창립총회 및 출범식에 대해 논의하였습니다.

모임에서는 공동대표에는 동해 삼척 안승호 대표, 속초, 고성, 양양 박상진 대표, 강릉 김영식 대표가 추천되었고, 상임대표에는 공동대표 가운데 강릉원주대학교 김영식 교수가 추천되었습니다. 모임에서는 코로나19, 정치의 격변기에 동해안 우리 지역의 전면적, 질적인 변화가 필요하다는 데에 인식을 같이하였습니다. 그렇다면 어떻게 누구와 뭘 해야 할 것인가에 대한 성찰적 고민을 하게 되었습니다.

이에 파편화되고 개별화된 힘을 합리적이고 건전하고 깨어있는 시민들의 조직화된 힘을 기반으로 강력한 동해안 정치 현안 세력을 형성하자는데 기본 뜻을 같이하였습니다. 이 정치 현안 세력을 통해 동해안이 소외와 배제와 무관심과 배반의 굴곡에서 새로운 질적 전환을 시도하여 세상의 중심으로 당당히 나가도록 하자는데 흔쾌한 공감대에 이르렀습니다. 다시 말해 밑으로부터 생활 정치를 추동하고 위로부터의 중앙정치를 아래로 끌어 내리자는 것입니다. 그리고 그 접점에서 동해안 발전의 새로운 정치 지형을 조작적으로 변경하고, 동해안 발전의 신패러다임 구축하여 신동해안 시대를 만들자는

데 함께 하기로 하였습니다.

　이리하여 동해안의 자주적 결집력 강화, 동해안 특색의 지속가능한 발전 전략 마련, 동해안의 정당한 재원 배분권 확보, 동해안의 중앙무대로의 전면 등장 등을 꾀하자는 것입니다. 이를 통해 동해안 지역의 내생적 발전을 전환적으로 선도함으로써 지역주민의 삶을 질적으로 강화하고, 종국적으로 국가 발전을 새로운 차원에서 견인하고 확산시키는 역할도 하자는데 의지를 결집하기로 하였습니다.

　동해안비전포럼은 동해안 지역의 발전을 위해 이를 선도해 나갈 리더 그룹의 역할을 충실히 해 나갈 것이라 확신합니다. 몇몇 특정 정치인들의 의지에 따라 좌지우지(左之右之)되는 시대를 종결하고 건전하고 합리적인 동해안 시민들이 다 함께하는 시대를 당당히 열 것이라 굳게 믿습니다.

　본 포럼이 지역 서민을 위한 정책과 대안을 제시하여 의지의 실천력을 진실되게 강화함으로써 우리 그리고 우리 후대가 이 땅에서 희망을 가지고 살아갈 수 있도록 하는데 여기 계신 모든 분들이 뜻을 같이할 것으로 굳게 믿습니다.

　회원님들의 굳은 의지, 열정, 책임감이 무엇보다도 절실히 필요한 때입니다.

　이상으로 경과보고를 마치겠습니다.

2021년 6월 3일

13

새로운 대한민국, 지역의 새로운 변화와 발전,
더민주 속인고양 상무위원회가

안녕하십니까? 오늘 궂은 날씨에도 많은 상무위원님들께서 참석해 주셨습니다.
진심으로 감사의 말씀을 올립니다. 특별히 바쁜 일정에도 불구하고 (인제 최상기 군
수님), 고성 함명준 군수님, 인제 이춘만 의장님께서 참석해 주셨습니다.

그리고 이지영 강원도의원님을 비롯 네 개 시군 신선익의원님, 방원욱 의원님, 최종
현 의원님, 신동성의원님, 이수현의원님, 송흥복의원님, 함형진의원님, 박봉균의원님들
께서 함께 해 주셨습니다. 우리 지역위원회의 새로운 출발에 가장 강한 힘을 실어 주셨
습니다. 고개숙여 감사드립니다. 그리고 25개 직책으로 구성된 운영위원회 위원님들께
서 이 자리에 참석해 주셨습니다.

김용자 인제군 전 의장님, 이영순 속초시 전 부의장님, 한수현 인제군 전 의원님,
김두휘 속초연락소장님, 이남홍 인제연락소장님, 허충근 고성연락소장님, 김길수 양양
연락소장님을 비롯하여 14개 상설위원장님들께서 참석해 주셨습니다. 이번 상무위원
회 준비에 수고를 아끼지 않으셨습니다. 감사드립니다.

우리 지역위원회의 개편은 지난 주 운영위원회 구성 및 1차 회의를 시작으로 지역대
의원 및 전국대의원 공모, 오늘 대의원 접수 마감 및 명단 작성을 완료하였습니다. 지
난주 운영위의 결의대로 지역별 안배, 소통, 탕평, 형평을 토대로 연락소장 중심으로
지역대의원 및 전국대의원 모집 등을 실시하여 지역대의원 명단과 고문단 명단을 확정
하게 되었습니다.

이 일련의 과정에서 너무나 많은 분들의 진심 어린 수고와 성원 그리고 조언이 있었
습니다. 함께 만들어 가고 함께 힘을 합해 모두가 원하는 세상을 열망하는 모습을 보여

주셨습니다.

희망을 보았고 열정을 확인하였습니다. 새로운 속인고양(속초·인제·고성·양양) 지역 위의 꿈을 꾸고 계셨습니다. 저는 2019년 9월 촛불혁명의 완성과 지역의 새로운 발전을 위해 국회 공직을 명예퇴직한 바 있습니다.

새로운 대한민국, 지역의 새로운 변화와 발전의 열망을 실현시키는 데 일조하고자 하였습니다. 그러나 20년 총선 당내 경선에서 패배하였습니다.

우리 지역은 본선에서도 패배하였습니다. 그 뒤 올해 대통령 선거와 지방선거에서도 일부를 제외하고 패배하였습니다. 혁신하지 못한 민주당과 지역위가 선거에 크게 도움이 되지 못한 것입니다.

속인고양(속초·인제·고성·양양) 지역위원회는 선거만 하면 지는 구조로 고착화되어가고 있습니다. 따라서 모든 민주 당원이 단일대오로 단결하는 전면적인 쇄신과 통합의 새로운 길로 나아갈 때입니다. 외연의 확장과 민심 획득의 범주를 늘려야 합니다. 이것은 설악권 지역에서 민주당이 생존하는 마지막 길이며, 부활의 막다른 길이며, 민주당의 가치를 변방의 땅에 실현할 수 있는 마지막 기회라고 생각합니다.

쇄신과 통합의 길에는 여기 계신 상무위원님과 지역위의 혁신 의지가 가장 중요합니다. 기존의 지역위 운영을 성찰적 자세로 살피고, 지역 민심이 향하는 곳을 바라보아야 합니다. 지역의 발전을 위해 구체적으로 무엇을 할 것인지를 생각해야 합니다. 새로운 비전과 통합의 미래와 희망을 제시해야 합니다. 모두가 꿈꾸는 속인고양(속초·인제·고성·양양)의 청사진과 로드맵을 보여주어야 할 것입니다. 그래서 24년 총선 승리 등을 비롯하여 지선과 대선의 승리를 통해 국가와 지역 발전에 민주당의 가치를 실현시켜야 하는 목표를 향해 담대히 나아가야 할 때입니다.

이를 위해 준비하고 또 준비하고 또 준비해서 이기는 조직, 강한 조직, 유능한 조직, 단결하고 함께하는 조직을 만들어야 합니다. 지역으로부터 신뢰받는 조직으로 거듭나야 합니다. 향후 말씀드리겠지만 이를 위해 "혁신 및 조직강화 특위"를 설치해서 실현 가능한 방안을 모색하도록 하겠습니다.

여기 계신 상무위원님들께서 쇄신과 통합의 담대한 길에 앞장서 주십시오. 함께 힘을 모아 간다면 우리 지역위의 꿈, 우리 지역의 미래, 국가의 새로운 도약을 이룰 수 있습니다. 우리 지역이 변방에서 중심으로 나아가고, 우리 지역의 삶의 가치가 더 높아지고, 희망이 넘쳐나는 지역으로 질적 전환을 이룰 것입니다.

다시 한번 오늘 참석해 주신 상무위원님들께 마음으로 감사드립니다. 우리 지역의 새로운 역사의 시작에 힘을 실어 주시고 동참해 주셔서 감사드립니다. 오늘 안건도 원만히 처리되어 지역위 출발에 더 큰 힘을 실어 주시기를 간곡히 요청드립니다.

2022년 7월 24일

14

설악권의 새로운 희망은 더민주 지역대의원이

안녕하십니까.

오늘 저녁 바쁘신 가운데에서도 많은 지역대의원님들께서 참석해 주셨습니다. 진심으로 감사의 말씀을 올립니다.

특별히 지역의 발전에 큰 이정표를 남기고 계시는 (인제 최상기 군수님), 고성 함명준 군수님, 인제 이춘만 의장님께서 참석해 주셨습니다.

열정적인 의정 활동을 하고 계시는 이지영 강원도의원님을 비롯하여 네 개 시군 의원님들께서 참석해 주셨습니다. 또한 박학성, 윤장원 상임고문님을 비롯한 고문님들께서 귀한 걸음을 해 주셨습니다. 고문님들께서는 우리 지역 민주주의를 지켜오시고 초석을 다지셨습니다. 고개 숙여 감사드립니다.

25개 직책으로 구성된 운영위원회 위원님들께서 이 자리에 참석해 주셨습니다. 이번 지역대의원대회의 준비에 수고를 아끼지 않으셨습니다. 감사드립니다.

무엇보다도 선출된 지역대의원님 여러분들의 참석은 더불어민주당의 혁신적 미래를 열고, 우리 지역위가 새로운 민주당 시대를 여는 데 결정적인 역할을 할 것이라 확신합니다. 민주당의 모든 권력은 풀뿌리 지역대의원으로부터 나옵니다. 그 권력의 원천에 계신 지역대의원님들은 우리 지역위의 현재이며 미래의 새로운 강력한 힘이 될 것입니다. 지역대의원님들이 없다면 우리 지역위도 없을 것입니다.

우리 지역위원회의 개편은 지난 주 운영위원회 구성 및 1차 회의를 시작으로, 지역대의원 및 전국대의원 공모, 24일 1차 상무위를 개최하여 지역대의원을 선출하였습니다. 이에 오늘 선출된 지역대의원님들을 모시고 지역대의원대회를 개최하여 전국대의원 명단을 추인하고자 하는 것입니다.

이 일련의 과정에서 너무나 많은 분들의 진심 어린 수고와 성원 그리고 조언이 있었습니다. 함께 만들어 가고 함께 힘을 합해 모두가 원하는 세상을 열망하는 모습을 보여 주셨습니다.

지난 2020년 21대 총선에서 더불어민주당은 163석을 얻어 압승하였습니다. 그러나 지금 더불어민주당은 야당이 되었고, 정권교체가 되어 버렸습니다. 21대 총선 속인고양에서 더불어민주당은 바람이 불었지만 패배하였습니다. 이 패배는 22년 대선 패배로, 22년 지선 패배로 이어졌습니다. 그 과정에서 우리 속인고양은 선거 패배의 무덤이 되었습니다. 선거 승리에 대한 희망과 믿음이 사라져 가고 있습니다.

이제 그 패배의 구조적 고리를 끊어야 합니다. 모두가 승리하여 설악권 전체의 발전에 기여할 토대를 구축해야 합니다. 이를 위해서는 쇄신과 통합을 통해 대동단결해야 합니다. "구태·패거리 정치"를 과감히 버리고 "갈등과 분열의 산"을 넘어야 합니다.

선거에서 이기는 조직, 민심과 함께하는 신뢰받는 조직을 만들기 위해서는,

- ▣ 첫째, 쇄신과 통합으로 지역위를 24년 총선 및 26년 지선에서 승리할 수 있는, 정권을 창출할 수 있는 "수권 정당"으로 전면 재건하겠습니다.
- ▣ 둘째, 지속가능하고 건전하며, 100년 미래 발전 준비를 위해 '미래 비전 및 조직 강화특위'를 설치하여 권리당원 중심, 읍면동 조직 중심으로 탄탄한 지역위를 만들겠습니다.
- ▣ 셋째, 다수에 의해 소통하는 민주적 열린 조직으로 재구조화하여 모든 권리당원이 함께 지역위에 참여하고, 지역위원장과 모든 권리당원이 소통하는 구조를 창출하겠습니다.
- ▣ 넷째, 지역민과 함께하는 자랑스럽고 품격 있는 신뢰받는 정책조직으로 재편하겠습니다. 정례적인 주민과의 간담회, 정책현안에 대한 현안 토론회, 주요 행사에의 적극적인 참여와 의견 수렴 기능을 강화하겠습니다.
- ▣ 다섯째, 탕평, 포용, 상생하는 인사 및 조직의 혁신적 운영을 통해 지역위의 통합성을 강화하고, 지역민과 함께하여 중도층의 확장성을 강화하도록 하겠습니다.

강한 민주당, 선거에서 이기는 우리 지역위를 만들기 위해서는 여기 계신 지역대의원님들의 혁신 의지가 가장 중요합니다. 성찰적 자세로 지역 민심이 향하는 곳을 바라보아야 합니다. 새로운 비전과 통합을 통해 설악의 미래와 희망을 제시해야 합니다.

　여기 계신 대의원님들께서 쇄신과 통합의 담대한 길에 앞장서 주십시오. 함께 힘을 모아 간다면 우리 지역위의 꿈, 우리 지역의 미래, 국가의 새로운 도약을 이룰 수 있습니다. 우리 지역이 변방에서 중심으로 나아가고, 우리 지역의 삶의 가치가 더 높아지고, 희망이 넘쳐나는 지역으로 질적 전환을 이룰 것입니다.

　새로운 출발, 새로운 각오로 속인고양 민주당을 부활시키고 선거에서 이기는 설악권 민주당 전성시대를 다 함께 열어가기를 희망합니다.

　감사합니다.

2022년 7월 26일

15

설악권 민주주의와 지역 발전은 더민주 원로위가

안녕하십니까? 박상진 지역위원장입니다.

오늘 큰절로 축하의 인사를 올리겠습니다.

속초인제고성양양 지역위 원로위원회의 창립총회를 축하드립니다.

오늘 축하를 위해 많은 분들이 오셨는데, 원로위원장님께서 다 소개를 못하셨습니다.

제가 성함만이라도 호명해서 축하의 기쁨을 함께 나누도록 하겠습니다.

박동수 박범진 이덕만 김성도 김용태 (이설희) 위원장님, 김용희 안미영 정옥수 운영위원님, 황성수 조남홍 대의원님, 임정식 김동일 김창섭 이복남 김주호 김기만 특위위원 및 권리당원님께서 자리를 빛내 주셔서 감사드립니다. 그리고 행사 준비를 위해 윤장원 위원장님, 신흥식 노인위원장님께서 애 많이 쓰셨습니다. 이 모든 분들께 큰 박수 부탁드립니다.

오늘 원로위원회 창립총회는 설악권 민주당 역사에 길이 남을 것입니다.

아니 민주당 역사에도 보기 드문 그야말로 대사건으로 기록될 것입니다.

그동안 설악권 이 척박한 땅에서 일궈내지 못했던 위대한 일을 해낸 것입니다.

오늘의 원로위의 창설은 우리 지역위 조직의 정상화를 넘어 다른 지역위, 타당의 당협 조직에 상징적인 영향을 미칠 것입니다. 원로위가 설악권 민주당의 새로운 희망으로 정당역사의 전면에 등장하는 것입니다.

우리 지역위가 선거에서 이기는 조직, 민심의 신뢰받는 조직을 위해 추진하고 있는 혁신적인 조직개편의 위대한 첫발을 뗀 것입니다. 진심을 다해 축하드리며, 최고의 경의를 표합니다.

어떻게 보면, 뜨거운 열정을 가지신 원로위원님들을 그동안 우리 지역위가, 우리 민주당이 제대로 모시지 못했다는 점에서 성찰과 반성이 필요하다고 생각합니다.

여기 계신 원로위원님들은 어려운 설악권에서 민주주의를 위해 투쟁하셨고, 어느 누가 보지도 않은 곳에서 민주당의 가치를 위해 헌신해 오셨습니다. 민주주의가 잊혀지고, 민주주의의 싹이 잘리는 이 설악권 변방에서 민주주의를 굳건히 지켜 오셨습니다.

이 험지에서 민주당의 가치를 지켜오고, 진보의 뿌리를 내리는 데 공헌하신 원로위원님들에 대한 존중과 연대를 이끌어내지 못하였습니다. 공헌하신 큰 업적에 부응하지 못하였습니다. 죄송하다는 말씀을 올립니다. 여기 계신 원로위원님들이 계시지 않았다면 지금의 설악권 민주당은 존재하지 않았을 것입니다.

원로위의 출범은 그동안 평범한 당원으로만, 개별로만, 계시던 원로위원님들을 조직화했다는 의미를 가집니다. 이것은 일반당원 중심의 상향적인 민주적 소통구조를 만들었다는 것을 의미합니다.

그리고 이것은 깨어있는 의식의 결집을 통해 민주당의 가치를 구현할 수 있는 강한 조직을 만들었다는 것을 의미합니다.

노인층의 보수화로 어려운 설악권 선거에서 승리하는 발판을 만들고, 역사의 전쟁터에서 승리하는 새로운 시발점이 될 것이라 생각합니다. 또한 원로위원님들께서 이 조직을 통해 새로운 대한민국을 만들고 설악권 지역 발전에 공헌할 수 있는 기회의 창을 활짝 열어 주셨습니다. 다시 한번 그간의 노고에 감사드립니다.

앞으로도 우리 설악권 지역위, 더 나아가 강원도 민주당의 강력한 버팀목이 되어 주십시오. 변화무쌍하고, 거짓 선지자가 넘쳐나고, 갈등과 분열이 난무하는 정치판에서 중심을 잡고 흔들리지 않는 울산바위와 같은 큰 바위 역할을 꼭 해 주십시오. 원로위는 차원을 달리하여 민주당의 승리에 결정적 역할을 할 것으로 확신합니다.

저희도 함께하겠습니다. 제대로 잘하겠습니다. 아름다운 동행을 변치 않고 계속하겠습니다. 원로위원회와 함께 도광양회, 힘을 기르고, 실력을 쌓아 때를 기다리겠습니다. 최고의 예우와 소통을 통해 민주주의를 지키기 위해 함께 하겠습니다.

원로위원회와 함께 어려운 시기에 새로운 봄의 매화를 기다리겠습니다. 설악권 민주당의 새로운 역사를 원로위원회와 함께 만들겠습니다. 원로위원회와 함께라면 희망차고 위대한 설악권 민주당 시대를 만들 것을 다시 한번 확신합니다.

올 한 해 정말 수고 많으셨습니다. 새해 더욱 건강하시고 행복하십시오.

사랑합니다. 존경합니다.

감사합니다.

2022년 12월 5일

16

지역의 발전을 위해 정책정당으로 가자

안녕하십니까?

속초인제고성양양 지역위원장 박상진, 인사 올리겠습니다.

당원 동지 여러분 새해 복 많이 받으십시오.

오늘 참석해 주신 김우영 도당위원장님과 송기헌, 허영 의원님을 비롯한 당원 동지 여러분들께 감사드립니다. 특별히 제일 먼 곳 속인고양에서 오신 열혈 당원 동지들께 깊이 감사드립니다.

작년 한 해 우리는 대선과 지선 패배로 힘겨운 날들을 보냈습니다. 너무나 열심히 했습니다. 모든 것을 걸었습니다. 그러나 결과는 검찰 공화국이었습니다. 너무나 슬프고 암울한 한 해를 보냈습니다. 당원 동지 여러분! 작년 정말 이 모든 과정을 겪고 이겨 내느라 수고 많이 하셨습니다.

당원 동지 여러분! 올해는 '근자열 원자래'하는 한 해를 보내시기를 바랍니다. 제가 제일 좋아하는 이 한자 성어의 의미는 "가까이 있는 사람을 기쁘게 해줘야 멀리 있는 사람이 찾아온다"라는 뜻입니다.

올해도 어두운 시대, 민주주의 위기의 시대를 맞이하고 있습니다. 올해 당원 서로에게 힘이 되어 서로를 기쁘게 하는 한 해를 만들어 가기를 희망합니다. 민주당의 일치단결된 모습으로 올해의 난관을 극복해 나가시길 바랍니다.

작금의 윤석열 정부는 정치의 기본인 국민을 기쁘게 하기는 커녕, 국민을 수사의 대상으로, 국민을 타도의 대상으로 하여 민주주의의 위기와 공정성의 근본 문제를 초래하고 있습니다.

민주주의는 어디로 갔습니까?

국민을 위한, 국민에 의한 민주주의는 어디로 갔습니까?

정녕 반민주주의로 가는 것입니까?

헌법상의 공정하고 실질적인 법치주의는 어디로 갔습니까?

정녕 헌법과 법률이 보장한 법치주의는 기계적, 선택적 법치주의에 의해 무너지는 것입니까?

'민주주의와 법치주의의 위기'를 넘어서 '민주주의와 법치주의의 파괴'로 진입하고 있는 이 상황에서, 흔들리지 않는 원칙과 굳은 의지로 단합된 강원도 민주당의 모습을 보여 주십시오.

그리하여 국민을 기쁘게 하고, 국민의 전폭적인 지지를 이끌어내도록 해야 합니다. 민주주의와 법치주의의 정상화를 통하여 그 과실을 국민에게 돌려주어 국민을 행복하게 만들어야 합니다. 이것이 정치이며 가야 할 더불어민주당의 길입니다.

내년 총선을 대비하기 위한 철저한 준비는 민주주의의 보루가 될 것입니다. 설악권 지역의 경우에는 내년 총선 승리를 통해 인제, 고성과는 원팀으로, 속초와 양양은 지방 권력 교체의 강한 토대를 만들어야 합니다. 그리하여 보수의 텃밭에 진보의 꽃을 피게 하여 새로운 변화와 도약을 만들어 가야, 미래가 열릴 것입니다.

국민을 위한 진실한 정책은 국민을 기쁘게 하여 구름 떼와 같은 국민의 지지를 받게 할 것입니다. 올해 6월 강원특별자치도의 출범에 걸맞는 정책을 발굴하고 시행되도록 민주당이 선제적으로 대응하고 역할을 해야 합니다. 그리하여 설악권과 강원도에서 선거에서 이기는 정당, 올바른 정책을 실현시키는 정책정당, 민심의 신뢰를 받는 정당을 만들어야 합니다.

아무쪼록 올해 당원 동지 여러분들의 새로운 힘, 굳은 힘이 필요한 때를 맞이하고 있습니다. 함께 해 주십시오. 우리 당이 설악권과 강원도, 대한민국의 새로운 꿈을 실현시켜, 모두를 기쁘고 행복하게 하는 한 해를 기필코 만들 것으로 확신합니다. 근자열 원자래를 꼭~ 기억해 주십시오.

당원 동지 여러분들의 가정에 행복과 건강이 항상 함께 하시기를 기원합니다.

감사합니다.

2023년 1월 11일

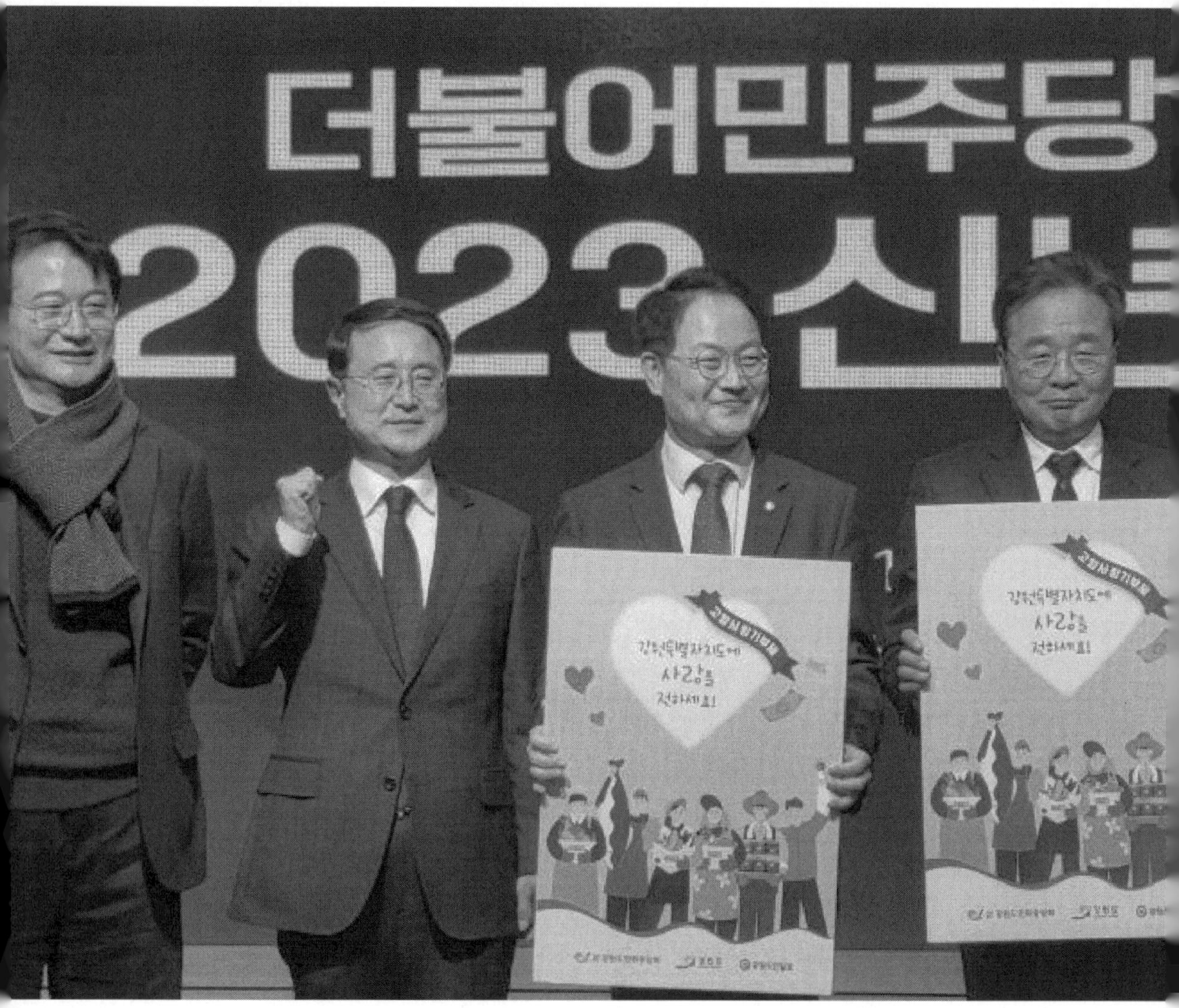
더불어민주당
2023 신
강원특별자치도에
사랑을
전하세요!

17

강원특별자치도 법안, 설악권을 위해 쓰여지도록 해야

안녕하십니까?

박상진 더불어민주당 속초인제고성양양 지역위원장 인사 올리겠습니다.

오늘 정말 많은 분들이 참석해 주셔서 감사드립니다. 주말이고 행사의 특성상 참여의 관심이 떨어지는 데 정말 많이 참석해 주셨습니다. 감사드립니다.

내외빈을 소개해 드릴 때 잠깐 자리에서 일어나시면 되겠습니다. 소개할 때 큰 박수 부탁드립니다.

먼저, 주제 발표를 해 주시는 박용식 강원도 특별자치국장님 참석해 주셨습니다. 또한 주제 발표를 해 주시는 한상우 전 법제처 경제법제국장님 참석해 주셨습니다.

다음, 김우영 더불어민주당 강원도당 위원장님 귀한 발걸음 해 주셨습니다. 큰 박수 부탁드립니다.

다음, 원로위원회 윤장원 위원장님 참석해 주셨습니다.

다음, 시간 관계상 한 번에 소개 올리겠습니다. 소개 드릴 때 자리에서 일어나 주시면 감사하겠습니다.

박학성 고문님을 비롯한 원로위원회 원로님들 참석해 주셨습니다. 큰 박수 부탁드립니다.

다음, 이수현 인제군의회 의원님 참석해 주셨습니다.

다음, 송흥복 고성군의회 의원님 참석해 주셨습니다.

다음, 박봉균 양양군의회 의원님 참석해 주셨습니다.

속초시 의원님들은 해외연수 중이어서 참석이 불가능한 상황이라고 합니다.

다음, 김영식 민생정책특위 공동위원장님 참석해 주셨습니다.

다음, 민생정책특위 간사위원인 이지영 강원도의원님 오셨습니다.

다음, 특위위원님들은 한 번에 소개하겠습니다. 김정중 특위 정책실장님을 비롯한 특위위원님들 참석해 주셨습니다

다음, 고성군 기획감사실장님과 관계 공무원님들 참석해 주셨습니다.

마지막으로 오늘 일반시민과 민주당 당원 등 많은 분들이 참석해 주셨습니다.

서로 격려의 큰 박수 부탁드립니다. 깊이 감사의 말씀드립니다. 혹시 소개를 원하거나 소개가 필요한 분이 있으시면, 말씀해주시면 감사하겠습니다. 이상 내외빈 소개를 마치겠습니다.

오늘 토론회는 정당이 시민과 함께 지역의 발전을 위해 고민하는 자리로서 큰 의미가 있다고 생각합니다.

그동안 저희 지역위원회는 지역 민심의 신뢰를 얻기 위한 조직의 개편과 정상화를 진행해 왔습니다. 이 조직개편의 궁극적인 목적은 주민의 삶과 지역의 발전에 공헌하는 것입니다. 이러한 차원에서 이번 행사는 정당 자체 행사가 아니라 정당이 주관하는 시민토론회로 진행되고 있다는 말씀을 드립니다. 정당이 헌신과 봉사를 바탕으로 지역 발전에 시민과 함께하는 자리입니다.

이번 행사는 정당이 권력 획득을 위한 활동만 하는 것이 아니라 변방인 이 설악권 지역에서 입법과 예산의 구체적 대안을 제시하고, 주민이 원하는 정책구현을 주민과 함께 가능하도록 하는 첫 사례로 기록될 것입니다. 주민의 의견이 정당을 통해 함께 반영되는 이 과정이 우리가 바라는 참여민주주의, 상향적 의사결정, 생활 정치를 구현하게 할 것입니다. 주민이 제대로 입법과정에 참여하게 되는 사례가 될 것입니다.

2.6 국회에 발의된 강원특별자치도 법안의 통과는 여야를 넘어 모두가 힘을 합쳐야 가능하다는 면에서 설악권 시민들의 힘도 보탤 필요가 있을 것입니다.

입법과 예산정책의 과정에 주민이 소외되는 경우가 많습니다. 특히, 설악권의 경우는 더욱 소외받는 지역일 수 있는데, 현재와 미래에 주민의 삶과 지역의 발전에 중대한 영향을 미칠 수 있는 강원특별자치도 법안에 대해서는 당연히 우리 설악권 주민들이 알아야 하고, 절실히 필요로 하는 정책 사항은 입법과정에 반영되도록 해야 할 것입니다.

말이 아니라, 의지와 소망만이 아니라, 입법과 예산과 정책이 결국은 우리의 일상과 삶에 관건일 수 있습니다.

오늘 발표된 내용이나 제시된 의견에 대해서는 향후 입법과정에 충실히 전달되어 반영하도록 시민과 함께, 도당과 함께 노력해 나가겠습니다. 지속적으로 관련 추진 상황에 대해 말씀드리겠습니다.

앞으로도 헌신과 희생을 바탕으로 우리 지역에서 민주당이 할 수 있고, 우리 시민이 원하는 것과 원하는 것을 찾아내 끊임없이 지역주민, 중앙당, 국회, 강원도와 협력하여 지역 발전에 일로매진하는 지역위가 되도록 노력하겠습니다. 지역위원회가 새로운 설악권 시대를 열어가는데 시민들과 함께 앞장서 나가겠습니다.

감사합니다.

2023년 2월 9일

18

새로운 발전을 위한 위대한 양양 당협

안녕하십니까? 당원 동지 여러분!

속초인제고성양양 지역위원장 겸 양양 당원협의회 위원장 박상진, 인사 올리겠습니다.

당원 동지 여러분! 오늘 역사적인 더불어민주당 양양 당원협의회 발대식에 참석해 주셔서 깊이 감사드립니다.

오늘 양양 당협의 출범을 위해 애쓰신 김정중 양양 당협 수석부위원장님, 이종률 선거준비위원장님, 김길수 지역위 연락소장님과 이건위 고문님을 비롯한 양양 당협 동지 여러분 수고 많이 하셨습니다.

또한 오늘 발대식을 축하하기 위해 오신 상무위원인 지방의회 의원님들, 각 지역 연락소장님과 운영위원님들께 감사드립니다.

모두가 하나되는 마음으로 이곳에 모였습니다. 새로운 역사의 출발에 함께하고 있는 것입니다. 가슴 벅찬 일이 아닐 수 없습니다.

우리 지역위는 선거에서 이기는 조직, 민심의 신뢰를 받는 조직을 위해 조직강화특위, 원로위, 정책특위 등을 출범시켰으며, 15개 상설위원회 중 노인위원회의 발대식을 마쳤습니다. 이제 당협을 구성하여 혁신적 조직개편을 향해 더욱 힘차게 달려가고 있습니다.

오늘 양양 당협의 발대식은 혁신적 조직개편의 첫 출발을 여는 역사적인 순간입니다. 설악권에 민주당의 기반을 만드는 첫 번째 역사를 만드는 것입니다. 척박한 땅에 진보의 씨앗을 뿌리고 꽃을 피우는 대장정의 깃발을 든 것입니다. 이제 설악권의 민주당도 돌고 돌아 정상화의 길에 본격적으로 들어서는 것입니다.

양양 당협의 발대식은 양양의 땅에서 억압과 굴곡의 정치적 역사의 종결을 의미합니다. 양양 당협의 출범은 독점적 경제 권력의 타파를 의미합니다.

양양 당협의 출발은 민주당이 양양 지역 발전의 한 축이라는 사실을 확실하고 선명하게 보여줄 것입니다. 특정 세력의 정치 경제적 이득을 위해 부당하게 개인의 자유를 침탈하고, 배제시키며, 소외를 심화시키는 그동안의 역사와 구조와의 완전한 결별을 의미하는 것입니다.

양양 당협의 역사적인 출발은 타는 목마름으로 민주주의를 갈구하는 간절함의 소중한 결과입니다. 갈등과 분열의 DNA로 갈라치기하고, 헤게모니만을 위해 패거리 정치와 이권 정치만을 일삼는 껍데기들을 지역 정치 역사의 뒤안길로 보내는 것입니다. 양양 당협은 정치 운명공동체로 오늘부터 하나입니다. 오로지 오로지 민생만을 바라봅니다.

그리하여 양양 당협은 민주적, 창발적 자유의지가 넘쳐나고, 산출되는 결과의 과실을 공정하게 모두가 함께 누리는 '민주사회의 가치가 강물같이 넘쳐나는 양양'을 만드는 중심축의 역할을 할 것입니다. 당당하고 자랑스러운 민주 세력의 핵심 조직으로 질적인 발전의 길로 힘차게 나아갈 것입니다.

당원 동지 여러분! 작년 한 해 우리는 대선과 지선 패배로 힘겨운 날들을 보냈습니다. 너무나 열심히 했습니다. 모든 것을 걸었습니다. 그러나 결과는 검찰 공화국이었습니다. 너무나 슬프고 암울한 한 해를 보냈습니다.

지금도 우리는 어두운 시대, 민주주의 위기의 시대를 맞이하고 있습니다. 작금의 윤석열 정부는 정치의 기본인 국민을 편안하고 안전하게 하기는 커녕, 국민을 수사의 대상으로, 국민을 타도의 대상으로 하여 민주주의의 위기와 공정성의 근본 문제를 불러 일으키고 있습니다.

'민주주의와 법치주의의 위기'를 넘어 '민주주의와 법치주의의 파괴'로 진입하고 있는 이 상황에서, 흔들리지 않는 원칙과 굳은 의지로 단합된 양양 당협과 설악권 민주당의 모습을 보여 주십시오. 양양 당협이 선두에 서 주십시오.

민주주의와 법치주의의 실질적인 정상화를 통하여 그 과실을 국민에게 돌려주어 국민을 행복하게 만들어야 합니다. 이것이 정치이며 가야 할 더불어민주당의 길입니다.

양양 당협 회원들이 함께 가야 할 길입니다.

내년 총선을 대비하기 위한 철저한 준비는 윤석열 정권의 폭주와 무능을 막아내는 민주주의의 보루가 될 것입니다. 설악권 지역의 경우에는 내년 총선 승리를 통해 인제, 고성과는 원팀으로, 속초와 양양은 지방권력 교체의 강한 토대를 만들어야 합니다. 그리하여 보수의 텃밭에 진보의 꽃을 피게 하여 새로운 변화와 도약을 만들어 가야, 우리 지역의 올바른 미래가 비로소 열릴 것입니다. 지금 우리는 쇄신과 통합으로 지역위를 24년 총선과 26년 지선에서 승리할 수 있는, 정권을 창출할 수 있는 '수권 정당'으로 전면 재건하는 과정을 거치고 있는 것입니다. 양양 당협이 수권정당을 만들어 가는 데 앞장서고 있는 역사적인 현장에 함께 하고 있는 것입니다.

우리는 '선한 영향력'을 위해 권력의지를 행사하며, 민생중심의 확고한 철학과 가치, 용기와 결단, 강력한 추진력을 가지고 오로지 새로운 대한민국과 더 나은 설악권 주민의 삶을 가치를 제고하기 위해 헌신하고 봉사해야 할 것입니다. 거짓 선지자, 철새 정치, 헤게모니만을 쫓아서는 안 됩니다. 특정 세력과의 민생경쟁에서 반드시 승리하기 위해서는 모두가 민생과 당협을 중심으로 뭉쳐야 합니다.

우리는 새로운 비전을 통해 설악권의 미래와 희망을 제시하는 정치혁신을 추진하고, 쇄신과 통합의 길에 앞장서서 함께 힘을 모아 양양의 새로운 꿈, 우리 지역위의 담대한 꿈, 우리 지역의 올바른 미래, 대한민국의 새로운 도약을 이루는 데 역량을 집중해야 합니다. 그리하여 양양을 비롯한 설악권 지역이 변방에서 중심으로 나아가고, 우리 지역의 삶의 가치가 더 높아지고, 희망과 의욕이 넘쳐나는 지역으로 질적 전환을 이루는 데 헌신해야 할 것입니다. 양양 당협이 이 모든 것을 가능하게 하고 실현시킬 것이라 확신합니다.

양양 당협이 새로운 시대, 속인고양 민주당을 부활시키고, 선거에서 이겨 지역의 민생과 삶을 가장 잘 해결해 나가는 설악권의 민주당 시대를 함께 열어갈 것입니다. 양양 당협은 승리의 길에 우뚝 설 것입니다.

양양 당협 파이팅입니다. 감사합니다.

2023년 2월 25일

새로운 역사의 시작! 더불어민주당 속초·인제·고성·양양 지역위원회
양양당원협의회 발대식
양양은 하나! 껍데기는 가라

19

양양 더불어민주당 당원협의회 결의문

양양 더불어민주당 당원협의회 동지 일동은 민주주의의 가치를 계승시키고, 양양의 민생정치문화를 만들어 나가기 위해 다음과 같이 결의한다.

하나. 우리는 선거에서 이기는 강한 조직, 지역에서 신뢰받는 민생 조직을 만들기 위해 혁신 의지를 가지고 노력한다.

하나. 우리는 쇄신과 통합으로 함께 힘을 모아 우리 지역위의 꿈, 우리 지역의 미래, 국가의 새로운 도약을 위해 역량을 집중한다.

하나. 우리는 설악권 민주 세력의 강력한 연대와 결집을 통해 정의롭고 공정한 사회가 구현되도록 중추적인 역할을 한다.

하나. 우리는 지역위원회의 큰 버팀목으로서 변함없는 굳은 의지로 새로운 대한민국과 더 나은 설악권 주민의 삶을 위해 헌신하고 봉사한다.

하나. 우리는 새로운 출발, 새로운 각오로 속인고양(속초·인제·고성·양양) 민주당을 새롭게 부활시키고 이기는 설악권 민주당 전성시대를 만들 것을 다짐한다.

2023년 2월 25일

20

속초시민회, 속초시민과 함께 고향사랑을 이어가자

안녕하세요. 더불어민주당 속초인제고성양양 지역위원장 박상진 인사 올립니다.

역사와 전통에 빛나는 속초시민회 선후배님들 정말 반갑습니다. 코로나로 힘든 시기를 넘기고 뵈니 더욱 반가운 것 같습니다. 정다운 얼굴, 보고 싶은 분들 이렇게 오래간만에 뵈니 가슴이 두근두근합니다.

저는 개인적으로 재경 속초시민회 부회장, 재경 속고산악회장과 재경 속고부회장을 맡고 있는데, 속초시민회가 가장 먼저 정상화의 기지개를 켜고, 도약을 준비하는 자리를 마련한 것 같습니다. 최고의 찬사로 오늘의 회장 이취임식을 진심으로 축하드리며, 앞으로 속초시민과 함께 영광과 보람의 빛나는 길이 한없이 펼쳐지기를 기원합니다.

이임하시는 강광원 회장님, 수고 많으셨습니다. 속초시민회를 반석 위에 올려놓으셨습니다. 취임하시는 박윤종 회장님, 취임을 속초 선후배님들과 함께 축하드립니다. 어렵고 힘든 회장직을 맡아 봉사와 헌신으로, 화합과 통합의 마음으로 속초시민회를 새로운 길로 잘 이끌 것이라 확신합니다. 또한 그동안 재경 속초민회의 역상와 전통을 위해 노력해 주신 역대 회장님들과 선후배님들, 앞으로 이를 자랑스럽게 이어갈 선후배님들의 길에 큰 축복이 있을 것입니다.

고향은 떠난 이들의 것이란 말이 있습니다. 고향 떠난 사람들의 고향에 대한 그리움과 사랑을 표현하는 말입니다. 저도 그렇고 여기 계신 모든 분들이 다 그러한 애틋한 마음을 가지 살아왔습니다. 항상 가고 싶고, 늘 고향을 위해 무엇인가를 하려고 했습니다. 그런 분들이 모인 속초시민회는 고향 사랑의 집합체입니다. 그동안 속초시민회는 화합에 기반하여 재경 속초시민들을 하나로 통합해 왔습니다. 고향 떠나, 고향을 그리

위하는 우리를 소통하게 하였으며, 서로에게 의지와 힘을 주었습니다. 늘 든든한 버팀목이었습니다. 저도 은혜를 많이 입었습니다. 이 자리를 빌어 감사드립니다.

그동안 속초시민회는 재경회원들의 친목과 화합을 넘어, 고향 떠난 그리움을, 고향에 대한 실천적인 사랑으로 발전시켜 왔습니다. 크지는 않지만, 소중한 사랑을 속초 고향에 실천해 온 것입니다. 수많은 고향에 대한 사업을 전개해 고향 사랑의 아름다운 선례를 만드는 자랑스러운 시민회가 되었습니다. 그동안의 노고에 다시 한번 경의를 표합니다.

속초는 2016년 결정된 동서고속화철도, 2020년 결정된 동해북부선이 신설되는 등 새로운 설악권 광역시대를 맞이하고 있습니다. 서울에서 더 가까워지고, 새로운 발전의 시대로 접어들고 있습니다. 속초가 설악권뿐만 아니라 대한민국의 중심지로 부상하고 있는 것입니다. 고향 떠난 우리가 꿈꾸는 고향 속초가 새롭게 도약의 날개를 펴고 있습니다.

자랑스러운 속초의 발전 상황에서 오늘 새롭게 출범하는 재경 속초시민회는 재경 선후배님들과 함께, 더욱 가족같이 정이 넘치고, 서로에게 힘을 주고 의지가 되는, 자랑스럽고 당당한 모임으로 더욱 발전하기를 바랍니다. 또한 새로운 설악권 시대를 맞이하여 속초시민회가 속초시민과 함께 새로운 역할과 위상을 통해 고향 사랑에 대하여 작지만 큰 걸음으로 속초 사회에 대한 사회 환원을 지속적으로 해 주셨으면 하는 마음입니다. 저도 열심히 동참하겠습니다.

속초시민회의 역사와 전통이 계속 이어지고, 앞날에 영광과 찬사가 계속되기를 바랍니다. 참석하신 모든 분들의 가정에 건강과 행복이 가득하시기를 진심으로 기원합니다. 존경합니다. 사랑합니다. 진심으로 감사드립니다.

2023년 2월 26일

21

더 큰 변화와 발전은 재경 인제군민회가

안녕하십니까?

더불어민주당 속초인제고성양양 지역위원장 박상진 인사 올립니다.

역사와 전통에 빛나는 인제 군민회 선배 후배님들 정말 반갑습니다. 코로나로 힘든 시기를 보내고 정다운 얼굴, 보고 싶은 분들을 뵈오니 정말 기쁘고 감사합니다.

오늘 재경 인제군민회의 신년회와 회장 이취임식을 진심으로 축하드립니다.

이임하시는 김태종 회장님, 수고 많으셨습니다. 군민회를 반석 위에 올려놓으셨습니다. 취임하시는 이경윤 회장님, 취임을 인제 선후배님들과 함께 축하드립니다. 어렵고 힘든 회장직을 맡아 봉사와 헌신으로, 화합과 통합의 마음으로 인제군민회를 새로운 길로 잘 이끌 것이라 확신합니다. 또한 그동안 인제 군민회의 역사와 전통을 위해 노력해 주신 역대 회장님들과 선후배님들, 앞으로 이를 자랑스럽게 이어갈 선후배님들의 길에 큰 축복이 있을 것입니다.

인제군의 정책하면 바로 떠오른 것이 하나 있습니다. 바로 최상기 군수님께서 뚝심 있게 추진한 농자재 반값 정책입니다. 이 정책은 전국적으로 너무 유명한 정책이 되었습니다.

이렇게 날로 발전하는 인제군은 2016년 결정된 동서고속화철도가 계획대로라면 2027년 신설되는 등 새로운 광역시대를 맞이하고 있습니다. 서울에서 더 가까워지고, 서울수도권과 설악·동해안권이 결절되는 광역교통망의 중심축 시대를 맞이하고 있는 것입니다. 인제가, 통과되는 곳이 아니라 체류하는 곳, 돌아오는 곳, 정주하는 곳, 인구가 늘어나는 중심지로 나아가는 시대를 맞이하고 있습니다. 최상기 군수님과 이춘만 의장님을 비롯한 인제 의회 의원님들 그리고 인제군민들께서 인제를 세상의 중심으로 우뚝 서게 할 것으로 확신합니다. 함께 하겠습니다. 미약하지만 힘을 세게 제대로 보태겠습니다.

오늘 새롭게 출범하는 인제군민회는 선후배님들과 함께, 더욱 가족같이 정이 넘치고, 서로에게 힘을 주고 의지가 되는, 자랑스럽고 당당한 모임으로 더욱 발전하기를 바랍니다. 또한 새로운 도약의 광역권 시대를 맞이하여 군민회가 군민과 함께 새로운 역할과 위상을 통해 고향 사랑에 대하여 작지만 큰 걸음으로 인제 사회에 대한 사회 환원을 지속적으로 해 주셨으면 하는 마음입니다. 저도 열심히 동참하겠습니다.

오늘 참석하신 모든 분들의 가정에 건강과 행복이 가득하시기를 진심으로 기원합니다. 감사합니다.

2023년 3월

22

인제의 새 도약은 인제 당협이

안녕하십니까?

인제 당원 동지 여러분!

속초인제고성양양 지역위원장 겸 인제 당원협의회 위원장 박상진,

인사 올리겠습니다.

당원 동지 여러분!

오늘 역사적인 더불어민주당 인제 당원협의회 발대식에 참석해 주셔서 깊이 감사드립니다.

오늘 인제 당협의 출범을 위해 애쓰신 최상기 인제 당협 수석부위원장님, 이춘만 부위원장님, 조춘식 부위원장님, 신동성 부위원장님, 이수현 부위원장님, 김진수 협의회장님을 비롯한 읍면 당원협의회장님들, 000위원장님을 비롯한 상설위원장님들, 000 고문님을 비롯한 고문님들, 이남홍 지역위 연락소장님을 비롯한 인제 당협 동지 여러분 수고 많이 하셨습니다.

또한 오늘 발대식을 축하하기 위해 오신 김두휘 속초연락소장님, 김길수 양양연락소장님, 허충근 고성연락소장님과 김용희 지역위 운영위원님께 감사드립니다.

모두가 하나가 되는 마음으로 이곳에 모였습니다. 새로운 역사의 출발에 함께 하고 있는 것입니다. 가슴 벅찬 일이 아닐 수 없습니다.

우리 지역위는 선거에서 이기는 조직, 민심의 신뢰를 받는 조직을 위해 조직강화특위, 원로위, 정책특위 등을 출범시켰으며, 15개 상설위원회를 구성한 바 있습니다. 또한 지난 2월에는 양양 당협을 보수의 땅 양양에서 성공리에 출범시켰습니다. 이제 인제를 포함하여 3개 시군 당협을 구성하여 혁신적인 조직개편과 당의 확고한 기반을

만들기 위해 더욱 힘차게 달려가고자 합니다.

오늘 인제 당협의 발대식은 혁신적인 조직개편을 통해 설악권에 민주당의 기반을 확고히 하는 역사를 만드는 것입니다. 척박한 설악권의 땅에 진보의 씨앗을 뿌리고 꽃을 피우는 대장정의 깃발을 든 것입니다. 이제 설악권의 민주당도 가장 뿌리 깊은 인제 당협의 출범을 통해 정상화의 길에 본격적으로 들어서는 것입니다.

인제 당협의 역사적인 출발은 타는 목마름으로 민주주의를 갈구하는 간절함의 소중한 결과입니다. 인제 당협은 정치 운명공동체로 오늘부터 하나입니다. 오로지 민생만을 바라봅니다.

그리하여 인제 당협은 "민주적, 창발적 자유의지가 넘쳐나고, 산출되는 결과의 과실을 공정하게 모두가 함께 누리는 민주사회의 가치가 강물같이 넘쳐나는 인제"를 만드는 데 중심축의 역할을 할 것입니다. 당당하고 자랑스러운 민주 세력의 핵심 조직으로 질적인 발전의 길로 힘차게 나아갈 것입니다.

당원 동지 여러분! 작년 한 해 우리는 대선 패배로 힘겨운 날들을 보냈습니다. 우리는 어두운 시대, 민주주의 위기의 시대를 맞이하고 있습니다. 경제와 외교는 어디론가 가버렸습니다. '민주주의와 법치주의의 위기'를 넘어 '민주주의와 법치주의의 파괴'로 진입하고 있는 이 상황에서, 흔들리지 않는 원칙과 굳은 의지로 단합된 인제 당협과 설악권 민주당의 모습을 보여 주십시오. 인제 당협이 선두에 서 주십시오.

민주주의와 법치주의의 실질적인 정상화를 통하여 그 과실을 국민에게 돌려주어 국민을 행복하게 만들어야 합니다. 이것이 정치이며 가야 할 더불어민주당의 길입니다. 인제 당협 회원들이 함께 가야할 길입니다. 함께 해 주십시오.

내년 총선을 대비하기 위한 철저한 준비는 윤석열 정권의 폭주와 무능을 막아내는 민주주의의 보루가 될 것입니다. 설악권 지역의 경우에는 내년 총선 승리를 통해 인제, 고성과는 원팀으로, 속초와 양양은 지방 권력 교체의 강한 토대를 만들어야 합니다. 그리하여 보수의 텃밭에 진보의 꽃을 피게 하여 새로운 변화와 도약을 만들어 가야, 우리 지역의 올바른 미래가 비로소 열릴 것입니다.

지금 우리는 쇄신과 통합으로 지역위를 24년 총선과 26년 지선에서 승리할 수 있는, 정권을 창출할 수 있는 '수권 정당'으로 전면 재건하는 과정을 거치고 있는 것입니다.

인제 당협이 수권정당을 만들어 가는 데 앞장서고 있는 역사적인 현장에 함께하고 있는 것입니다.

우리는 '선한 영향력'을 위해 권력의지를 행사하며, 민생중심의 확고한 철학과 가치, 용기와 결단, 강력한 추진력을 가지고 오로지 새로운 대한민국과 더 나은 설악권 주민의 삶을 가치를 제고하기 위해 헌신하고 봉사해야 할 것입니다. 거짓 선지자, 철새 정치, 헤게모니만을 쫓아서는 안 됩니다. 특정 세력과의 민생경쟁에서 반드시 승리하기 위해서는 모두가 민생과 당협을 중심으로 뭉쳐야 합니다.

우리는 새로운 비전을 통해 설악권의 미래와 희망을 제시하는 정치혁신을 추진하고, 쇄신과 통합의 길에 앞장서서 함께 힘을 모아 인제의 새로운 꿈, 우리 지역위의 담대한 꿈, 우리 지역의 올바른 미래, 대한민국의 새로운 도약을 이루는 데 역량을 집중해야 합니다.

그리하여 인제를 비롯한 설악권 지역이 변방에서 중심으로 나아가고, 우리 지역의 삶의 가치가 더 높아지고, 희망과 의욕이 넘쳐나는 지역으로 질적 전환을 이루는데 헌신해야 할 것입니다. 인제 당협이 이 모든 것을 가능하게 하고 실현시킬 것이라 확신합니다. 함께 해 주십시오.

인제 당협은 신의와 믿음으로 여러분과 함께 할 것입니다. 동서고속화철도가 신설되는 등 설악광역권 시대에, 인제가, 체류하는 곳, 돌아오는 곳, 정주하는 곳, 10만으로 인구가 늘어나는 설악권 중심지로 나아가는 시대를, 인제 당협이 만들 것입니다.

인제 당협이 새로운 시대, 속인고양(속초·인제·고성·양양) 민주당을 부활시키고, 총선에서 이겨 지역의 민생과 삶을 가장 잘 해결해 나가는 설악권의 민주당 시대를 함께 열어갈 것입니다. 인제 당협은 승리의 길에 우뚝 설 것입니다.

인제 당협은 지금까지 잘 해왔듯이 미래에도 가장 잘하는 당협으로 무궁한 발전을 이루어 나갈 것으로 확신합니다.

인제 당협 파이팅! 감사합니다.

2023년 3월 28일

23

국민의 안전과 생명을 위해 후쿠시마 오염수 NO

안녕하세요. 속초인제고성양양 지역위원장 박상진입니다.

오늘, 발대식을 수산물의 고장 주문진에서 하게 된 것은 아주 의미가 큽니다. 후쿠시마 원전수의 해양투기의 직격탄을 입는 곳이 이곳 주문진이고 동해안이기 때문입니다. 전국민의 85.4%가 후쿠시마 원전수 해양투기를 반대하고 있습니다.

그런데 가장 심각한 문제는 윤석열 정권이 국민의 반대와 우려를 괴담으로 몰아가고 있다는 것입니다. 대응책 마련이 아니라 80년대 민주화 운동 때처럼 그냥 덮어 버리려고 합니다.

윤석열 정권은 국민의 생명과 안전을 무시하는 행태를 보이고 있는 것입니다. 왜 국가가 무엇을 해야 하는지를 자꾸만 생각하게 만들고 있습니다.

일본은 후쿠시마 원전 오염수를 30년 동안 방류한다고 합니다. 최소 30년 동안 수산물을 먹지 말아야 합니까? 후쿠시마 원전 오염수가 절대 방류되지 말아야 합니다. 결사반대합니다.

윤석열 정권은 최고의 국익인 국민의 생명과 안전을 위해 단호히 대처해야 합니다. 그러지 못한다면 물러나야 합니다. 역사의 죄인이 되지 말아야 합니다.

관광지 동해안 바닷가의 타격이 가장 큰 문제입니다. 동해안 해수욕장 방문객이 692만명이라고 합니다.

후쿠시마 오염수의 방류만으로 72%가 수산물의 소비축소를 우려하고 있습니다. 어민들은 직격탄을 맞습니다. 해산물 먹으러 오던 관광객들이 동해안을 방문하겠습니까? 안 먹고 안 올 것입니다. 수많은 횟집, 수많은 숙박시설, 관련 소상공인, 관련 자영업자의 타격이 명약관화합니다. 동해안 지역경제의 초토화로 이어질 우려가 큽니다.

윤석열 정권에 요구합니다. 후쿠시마 원전 오염수 해양 방류를 막는데 정권을 걸어야 합니다. 윤석열 정부는 최악의 경우에 대비해야 합니다. 무능하게 그저 일본만 바라보고 동조해서는 안 됩니다. 윤정부는 오염수 방류되기 전, 방류 중, 방류 후 시간대별 대비책을 만들어야 합니다. 직접 피해, 간접 피해에 대한 종합대책과 특별법을 만들어 대응해야 합니다.

윤석열 정권은 국가의 책무를 다해야 합니다. 지금 윤석열 정권은 오염수 방류를 저지하기 위해 국력을 총 동원하십시요. 그러지 못하고 무능하다면 그 권력을 국민에게 돌려주어야 할 것입니다.

구호 한번 외치겠습니다.

"후쿠시마 오염수 해양투기 막아라"

"국가의 책무를 다해라"

202년 5월 31일

24

평화 중심, 사람 중심의 고성발전은 고성 당협이

안녕하십니까?

박상진 지역위원장입니다.

오늘 함명준 군수님 취임 1주년 기념식을 축하드립니다. 작년 어려운 가운데에서도 민주당의 이름으로 당당히 당선되셨습니다. 대단하셨습니다. 고성군의 땅에 진보의 싹을 확실히 심었습니다. 축하드립니다.

오늘 행사를 준비해 주신 고성 당협에 특별히 감사드립니다. 사막에 물을 주고 길을 내어 고성 당협을 척박한 땅 고성에 우뚝 세워 주셨습니다. 고성 민주당과 고성군의 발전에 새로운 반석이 될 것입니다. 또한 고문님들께서 많이 참석해 주셨습니다. 고성뿐만 아니라 설악권 민주주의의 보루였고 든든한 버팀목이었습니다. 오늘의 민주당을 만드셨습니다. 깊은 감사와 존경을 표합니다.

그리고 함군수님의 당선을 위해 애쓰신 그야말로 위대한 도우미 역할을 하신 많은 분들이 오셨습니다. 오늘 오신 모든 분들이 함명준 군수님과 함께 취임 1주년을 맞이했습니다.

모두에게 큰 박수를 부탁드립니다.

취임 1주년은 시작입니다. 평화 중심, 사람 중심을 통해 가장 행복한 지역을 만들어 가는 길을 우리 모두 함께 가는 것입니다.

동해고속도로 고성 구간을 신설하고, 동해북부선 개설을 계기로 새로운 고성의 성장 기반 동력을 확실히 다져야 할 것입니다.

민주당의 가치, 고성 미래의 길인 평화 경제를 통해 새로운 도약을 이루어야 합니다. 최근 제정된 평화경제특구법에 의한 고성 평화경제특구가 조속히 지정되어야 할 것입니다. 강원특별자치도가 6.11 출범합니다. 법도 제정되었습니다. 이를 잘 활용해 고성군이 미래 통일의 중심지, 설악금강권의 경제중심지, 인구가 늘어나는 중심지, 북한 및 북방경제의 중심지로 힘차게 나아가야 할 바로 그때입니다.

함명준 군수님과 여기 계신 모든 분들이, 설악권 민주당이, 새롭고 위대한 고성 전성시대를 함께 만들어 갑시다. 함명준 군수님께서도 여기 계신 모든 분들과 설악권 민주당을 군정의 동반자로 함께 할 것입니다.

그래서 다 함께 누리는, 더불어 행복한 고성을 만들어 가길 바라겠습니다.

반드시 설악권 민주당이 함께 하겠습니다.

24년 총선 승리를 통해, 함명준 군수와 원팀으로 이 모든 것을 가능하게 하는 고성군 발전의 새로운 역사를 쓰도록 함께 해 주십시오.

감사합니다.

2023년 6월 9일

25

평화경제의 중심지, 새로운 도약의 선구자는 고성 당협이

안녕하십니까? 당원 동지 여러분!

속초인제고성양양 지역위원장 겸 고성 당원협의회 위원장 박상진,

인사 올리겠습니다.

당원 동지 여러분!

오늘 역사적인 더불어민주당 고성군 당원협의회 발대식에 참석해 주셔서 깊이 감사드립니다. 오늘 발대식은 늦은 감이 있지만, 4개 시군 합동 발대식과 동일하게, 제대로, 성대하게, 열리는 것 같습니다.

어려운 시기적, 구조적인 상황 속에서도 모든 요구사항을 담아내고, 단합을 통해 새로운 고성의 미래를 열기 위해 최선의 노력을 다했습니다. 거대한 용광로와 같은 고성 당협을 만들기 위해 실무적으로 봉사와 헌신을 아끼지 않으신 김용희 당협 사무국장님과 관련된 동지들께 우선 격려의 큰 박수를 부탁드립니다.

오늘 거대한 용광로와 같은 고성 당협을 만들기 위해 애쓰신 함명준 고성 당협 수석부위원장님, 이지영 도의원님, 함형진 협의회장님을 비롯한 5개 읍면 당원협의회장님들, 김시혁 고문님을 비롯한 고성 민주주의의 산 역사이신 고문님들, 허충근 지역위 연락소장님과 김용희 고성 당협 사무국장님을 비롯한 고성 당협 동지 여러분 수고 많이 하셨습니다. 격려의 큰 박수 부탁드립니다.

또한 오늘 발대식을 축하하기 위해 오신 김두휘 속초 연락소장님, 이남홍 인제 연락소장님, 김길수 양양 연락소장님을 비롯한 지역위 동지여러분, 그리고 신선익, 방원욱, 최종현 속초시 의원님들, 박봉균 양양군 의회 의원님과 김도균 중앙당 특위 수석부위

원장님, 주대하 도당 수석부위원장님, 김정중 도당 부위원장님께 감사의 말씀을 드립니다. 또한 시국이 어수선하고 바쁘신 와중에서도 열일 제쳐두고 참석해 주신 귀하고 소중한 당원 동지 여러분! 다시한번 감사드립니다.

우리 모두는 하나되는 마음으로 이곳에 모였습니다. 새로운 역사의 출발에 함께 하고 있는 것입니다. 가슴 벅차고 뜻깊은 일이 아닐 수 없습니다.

우리 지역위는 작년 7월 출범하면서 목표로 한, 선거에서 이기는 조직, 민심의 신뢰를 얻는 조직을 위해 조직강화특위, 원로위, 정책특위 등을 출범시켰으며, 15개 상설위원회를 구성한바 있습니다. 또한 지난 2월에는 양양 당협을 보수의 땅 양양에서 성공리에 최초로 출범시켰습니다.

그리고 인제당협과 속초당협도 출범시켰습니다. 무에서 유를 만드는 조직강화를 단행하였습니다. 혁신과 통합의 기치로 달려왔습니다. 그 과정의 결과 속에서 오늘과 같은 고성 당협의 발대식이 있게 되었다고 생각합니다. 당원 동지여러분들의 희생과 헌신에 모든 공을 돌리며 진심으로 경의를 표합니다.

고성 당협의 역사적인 출발은 타는 목마름으로 민주주의를 갈구하는 간절함의 소중한 결과입니다. 고성 당협은 정치 운명 공동체로 오늘부터 하나입니다. 오로지 민생만을 바라보고 고성의 미래를 향해 달려갈 것입니다.

당원 동지 여러분!

작년 한 해 우리는 대선 패배로 힘겨운 날들을 보냈습니다. 우리는 어두운 시대, 민주주의 위기의 시대를 맞이하고 있습니다. 경제와 외교는 어디론가 가 버렸습니다. 윤석열 정권은 국민과 국익을 위해 져야하는 모든 책임을 던져버렸습니다. 후쿠시마 핵오염수의 해양투기를 묵인하고 동해안의 어민들과 국민의 생명과 안전을 도외시하는 무능하고 반헌법적인 국정운영을 하고 있습니다.

내년 총선에서 반드시 심판해야 합니다. 국정운영을 국민주권, 민생우선, 국익 실용외교로 전면 정상화해야 합니다. 민주주의를 지켜내야 합니다. 흔들리지 않는 원칙과 굳은 의지로 단합된, 고성 당협과 설악권 민주당이 앞장서 주십시오. 함께하면 승리합니다.

내년 총선을 대비하기 위한 철저한 준비는 윤석열 정권의 폭주와 무능을 막아내는 민주주의의 보루가 될 것입니다. 설악권 지역의 경우에는 내년 총선 승리를 통해 인제, 고성과는 원팀으로 지역 발전을 이루어 나가고, 속초와 양양은 지방권력 교체의 강한 승리의 토대를 만들어야 합니다.

고성을 비롯한 설악권 지역이 변방에서 중심으로 나아가고, 우리 지역의 삶의 가치가 더 높아지고, 희망과 의욕이 넘쳐나는 지역으로 질적 전환을 이루는데 헌신해야 할 것입니다. 고성 당협이 이 모든 것을 가능하게 하고 실현시킬 것이라 확신합니다.

고성은 2027년 동서고속철도와 동해북부선이 개설되는 설악광역권 시대를 맞이합니다. 고성은 민주당의 가치, 고성 미래의 길인 평화경제를 통해 새로운 도약을 이루어야 합니다. 최근 제정된 평화경제특구법에 의한 고성 평화경제특구가 조속히 지정되어야 할 것입니다. 강원특별자치도가 6.11 출범했습니다. 이 법을 잘 활용해서 고성이 미래 통일의 중심지, 설악금강권의 경제중심지, 인구가 늘어나는 활력중심지, 북한 및 북방경제의 중심지로 힘차게 나아가야 할 바로 그때입니다.

함명준 수석부위원장님과 여기 계신 모든 분들이 그리고 설악권 민주당이, 새롭고 위대한 고성 전성시대를 함께 만들어 갑시다. 고성 당협과 설악권 민주당이 고성 군정의 동반자로 함께 힘을 보태야 할 것입니다. 새로운 하나됨으로 고성발전의 영광을 구현합시다. 동지들 모여서 함께 나갑시다.

구호하나 외치고 마무리하겠습니다.

신동엽 시인의 껍데기는 가라 아시죠.

제가 '껍데기'는 하면 '가라'

제가 '고성'은 하면 '하나다'라고 외쳐주시면 감사하겠습니다.

네~ 감사합니다.

2023년 8월 26일 고성 당협 발대식 인사말

26

군사 규제 완화는 다 함께 힘 모아야

안녕하십니까?

더불어민주당 속초인제고성양양 지역위원장 박상진 인사 올리겠습니다.

오늘 정말 많은 분들이 참석해 주셨습니다. 깊이 감사드립니다. 주말이고 행사의 특성상 참여와 관심이 떨어질 수 있는데, 정말 많이 참석해 주셨습니다. 감사드립니다.

먼저, 내외빈을 소개해 드리겠습니다. 소개할 때 잠깐 자리에서 일어나시면 되겠습니다. 소개할 때 큰 박수 부탁드립니다.

먼저, 주제 발표를 해 주시는 류종현 강원연구원 선임연구원님 참석해 주셨습니다. 또한 주제 발표를 해 주시는 강한구 입법정책연구원 국방혁신연구센터장님 참석해 주셨습니다.

다음, 이기원 강원도당 해파랑연구소장님 귀한 발걸음 해 주셨습니다. 큰 박수 부탁드립니다. 다음, 장진상 해파랑연구소 부소장님 참석해 주셨습니다. 또한 김세종 해파랑연구소 부소장님 참석해 주셨습니다. 다음, 김복자 강원도당 정책실장님 참석해 주셨습니다.

그리고 오늘 멀리 세종시에서 격려를 위해 오신 귀한 분들이 계십니다. 이기헌 고문님을 비롯한 세종시당 고문님들께서 참석해 주셨습니다. 큰 박수 부탁드립니다.

다음, 원로위원회 윤장원 위원장님 참석해 주셨습니다.

다음, 시간 관계상 한 번에 소개 올리겠습니다. 박학성 고문님을 비롯한 원로위원회 위원님들 참석해 주셨습니다. 큰 박수 부탁드립니다.

다음, 신선익 속초시의회 의원님 참석해 주셨습니다.

다음, 방원욱 속초시의회 의원님 참석해 주셨습니다.

다음, 최종현 속초시의회 의원님 참석해 주셨습니다.

다음, OOO 인제군의회 의원님 참석해 주셨습니다.

다음, OOO 고성군의회 의원님 참석해 주셨습니다.

다음, 박봉균 양양군의회 의원님 참석해 주셨습니다.

다음, 김영식 민생정책특위 공동위원장님 참석해 주셨습니다.

다음, 민생정책특위 간사위원인 이지영 강원도의원님 오셨습니다.

다음, 특위위원님들은 한 번에 소개하겠습니다. 김정중, 이태영, 임문희 특위 정책실장님을 비롯한 특위위원님들 참석해 주셨습니다.

다음, 주대하 전 도의원님, 김준섭 전 도의원님, 김용자 인제군 전 의장님 참석해 주셨습니다.

다음, 김도균 설악권희망포럼대표님 참석해 주셨습니다.

마지막으로 오늘 일반시민과 민주당 당원 등 많은 분들이 참석해 주셨습니다. 서로 격려의 큰 박수 부탁드립니다.

깊이 감사의 말씀드립니다. 혹시 소개를 원하거나 소개가 필요한 분이 있으시면, 추후 말씀해 주시면 감사하겠습니다.

이상 내외빈 소개를 마치겠습니다.

지역위원장 박상진 인사 말씀드리겠습니다.

오늘 토론회는 우리 이웃의 민생을 위해 함께 고민하는 공론화의 장을 마련해 달라는 여론을 반영하여 긴급히 마련하였습니다. 정당이 주민들의 요구에 즉각적으로 반응하고 탄력적으로 의견을 수렴하는 장을 마련한 것입니다.

이것이 지역주민 중심의 생활 정치와 상향적 민주정치를 구현하는 것이라 생각했습니다.

아시다시피 그동안 저희 더불어민주당 속초인제고성양양 지역위원회는 지역 민심의 신뢰를 얻기 위한 조직의 개편과 정상화를 진행해 왔습니다. 이 조직개편의 궁극적인 목적은 주민의 삶과 지역의 발전에 공헌하는 것입니다.

이러한 차원에서 이번 행사는 초청이 한정되는 정당 내부 행사가 아니라 정당이 주관하는 시군민토론회로 누구나 참여할 수 있는 행사로 진행되고 있다는 말씀을 드립니다. 우리 지역위원회가 헌신과 봉사를 바탕으로 지역 발전에 시군민과 함께하는 자리입니다.

이 토론회는 우리 지역위원회가 주최하는 3번째 토론회로, 지역에 산재한 접경지역 군사시설보호구역 등의 지역주민의 재산권 보호와 규제혁신을 통한 지역 발전 등에 함께 고민하고자 개최하였습니다.

속초인제고성양양 설악권에는 동서고속화철도와 동해북부선 양대 철도가 2027년 개통을 목표로 건설 중에 있습니다. 이 철도노선 등으로 인해 설악권의 전반적인 토지이용 지역·지구제의 전면적인 조정이 불가피한 국면을 맞이하고 있습니다. 이 국면과 더불어 강원특별자치도법안이 3월 22일 국회 행안위 상정을 앞두고 있습니다. 이 법안을 잘 활용해야 하는 중요한 입법환경을 맞이하고 있습니다.

또한 이러한 양대 철도가 신설되는 새로운 설악광역권 시대에 불합리한 규제와 기본권 침해 요소를 해소하는 입법 정책적 노력이 적기에 실행되어야 할 때입니다. 그리하여 우리 이웃의 고통을 덜어 드리고 지역 발전의 새로운 모멘텀을 만들어야 할 때입니다.

함께하고자 합니다. 공론화의 바다에서 함께 해답을 찾는 항해를 시작하고자 합니다. 지난번 토론회에서도 말씀드렸듯이 말이 아니라, 의지와 소망만이 아니라, 입법과 예산과 정책이 결국은 우리의 일상과 삶에 관건일 수 있습니다.

오늘 발표된 내용이나 제시된 의견에 대해서는 향후 국회 입법과정에 충실히 전달되어 반영하도록 시군민과 함께, 중앙당, 도당과 함께 노력해 나가겠습니다.

또한 시행령 개정, 불합리한 규제 개선, 행정 혁신 등 필요한 사항에 대해서는 국회 국방위, 행안위, 기재위와 국방부, 국민권익위를 비롯한 관계 부처에 해당 의견을 전달하도록 하겠습니다. 그리고 지속적으로 관련 추진 상황에 대해 말씀드리겠습니다.

이미 언론에서 보도되었지만 지난 2월11일 우리 지역위가 시민들과 함께 한 강원특별자치도법안 토론회에서 개진된 의견을 국회 행안위 등 입법과정에 전달한 바 있습니다. 계속해서 반영을 위해 노력하고 있음을 말씀드립니다.

앞으로도 헌신과 희생을 바탕으로 우리 지역에서 민주당이 할 수 있고, 우리 시군민이 원하는 것과 원하는 것을 찾아내 지역 발전에 일로매진하는 지역위가 되도록 노력

하겠습니다. 지역위원회가 새로운 설악광역권 시대를 열어가는 데 시군민들과 함께 앞
장서 나가겠습니다.

감사합니다.

2023년 3월 19일

27

동해안 시대를 열자

오늘 21.6.3 동해안비전포럼이 출범하였습니다. 강릉 김영식 강릉원주대 교수, 동해 삼척 안승호 대표와 속초 고성 양양 박상진 대표가 공동대표를 맡기로 하였습니다.

동해안비전포럼은 코로나19와 정치적 격변기에 동해안 지역의 전면적, 질적인 변화가 필요하다는 데에 인식을 같이하였습니다.

합리적이고 건전하고 깨어있는 시민들의 조직화된 힘을 기반으로 동해안 지역이 변방과 소외의 지역에서 벗어나 세상의 중심으로 당당히 나갈 수 있도록 노력하기로 하였습니다. 지역이기주의와 소수 정치인에 의한 패권주의를 버리고 주인의식을 토대로 동해안의 꿈을 실현해 나가기로 하였습니다.

밑으로부터 생활 정치와 민생경제를 추동하고 위로부터 중앙정치를 아래로 끌어 내리자는 것입니다. 그리고 그 접점에서 동해안 발전의 신패러다임을 구축하기로 하였습니다.

동해북부선철도 등 광역 현안에 대한 공동대응, 동해안의 자주적 결집력 강화, 동해안 특색의 지속가능한 발전 전략 마련, 동해안의 정당한 가치 배분권 확보, 동해안의 중앙무대로의 전면 등장, 통일 한반도의 새로운 길 개척 등을 도모하기로 하였습니다.

이를 통해 인재 육성 및 교육강화 등 동해안 지역의 내생적 발전을 전환적으로 선도함으로써 지역주민의 삶을 질적으로 높이고, 종국적으로 국가 발전을 새로운 차원에서 견인하고 확산시키는 역할도 하자는데 의지를 결집하기로 하였습니다.

동해안비전포럼은 동해안 지역의 발전을 위해 이를 선도해 나갈 리더 그룹의 역할을 충실히 해 나갈 것입니다. 몇몇 특정 세력과 이권에 개입하는 '정치꾼'에 의한 퇴행적 시대를 종결시키고 건전하고 합리적이며 정직한 동해안 시민들이 다 함께하고 모두가 누리는 시대를 당당히 여는데 뜻을 같이하기로 하였습니다.

　동해안비전포럼이 지역 서민을 위한 정책과 대안을 제시하여 의지의 실천력을 진실되게 강화함으로써 우리 그리고 우리 후대가 동해안 이 땅에서 희망을 가지고 살아갈 수 있도록 할 수 있는 힘을 최대한 모으기로 하였습니다.

　동해안비전포럼이 굳은 의지, 열정, 책임감을 통해 동해안 지역 나아가 국가의 발전에 기여할 수 있도록 많은 관심과 성원을 부탁드리겠습니다.

2021년 2월 26일

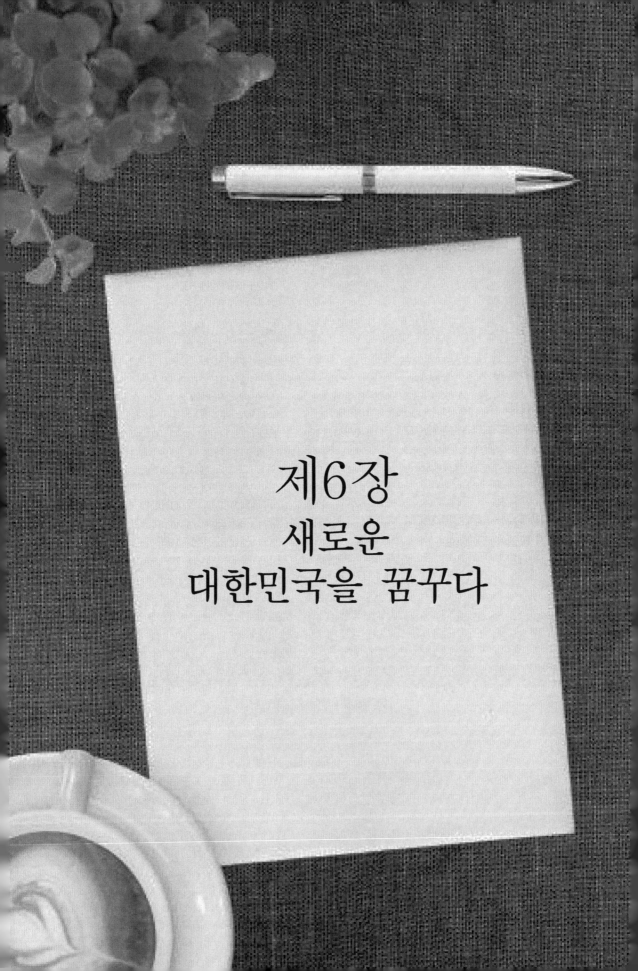

제6장
새로운
대한민국을 꿈꾸다

01

예금자 보호와 금융 안정화 등을 위해 금융권에 들어가다

안녕하세요. 박상진입니다. 예금보험공사 임직원 여러분 이렇게 만나 뵙게 되어 기쁘고 반갑습니다. 위성백 사장님께서 부족한 저를 상임이사로 임명해 주셔서 깊이 감사드립니다. 중책을 맡게 되어 어깨가 무겁습니다.

사장님을 비롯 임직원님들을 모시고 예보의 핵심적인 과업을 수행하는 데 최선을 다하겠습니다. 특히 예보 직원들은 한 식구입니다. 같은 식구로서 동고동락하면서 함께 열심히 일하겠습니다. 서로 소통하고 배려하며 공감하도록 노력하겠습니다. 서로에게 힘이 되도록 하겠습니다.

1997년 IMF 외환 위기 이후 성장해 온 예보가 새로운 발전의 모멘텀을 찾고 만들어가는 데 작은 힘이라도 보태겠습니다. 2000년 초 국회 재경위에서 금융개혁과 공적자금 등과 관련된 입법과 제도개선 업무를 치열하게 한 적이 있습니다.

또한 국회 정무위 예결위 기재위 전문위원 등으로 일한 경험을 살려 예보의 발전에 기여하도록 최선을 다하겠습니다. 예보의 예금자 보호와 금융 안정화 등의 기능이 질적인 발전을 하는 데 노력하겠습니다.

그러나 너무나 많이 부족합니다. 많이 알려주시고 함께 해 주시면 감사하겠습니다. 임직원 모든 분들 잘 모시고 보람 있는 직장생활을 하게 되길 소망합니다. 언젠가 한번 일해 보고 싶었던 이곳에서 일하게 되어 기쁘고, 다시 한번 감사의 말씀을 드립니다.

더 더욱 능력이 뛰어나고 우수한 직원 여러분과 함께하게 되어 정말 감사한 마음입니다. 모든 분들 잘 모시고 보람 있는 직장생활을 하게 되길 소망합니다. 감사합니다.

2021년 3월 2일

02

금융개혁 입법과 공적자금의 투입 등 외환 위기 극복 경험을 살리자

박상진 전 국회 수석전문위원(차관보급)이 3.2자로 예금보험공사 임원(상임이사)으로 취임했다.

박 신임 상임이사는 강원 고성 출신이다.

속초고를 졸업하고, 단국대, 시립대를 거쳐 서울대 도시계획학 석사, 미 인디애나대 로스쿨 법학 석사, 미 뉴욕주립대 경제학 석사, 단국대 도시 및 지역계획학 박사를 취득했다.

1995년 입법고시에 합격해 공직을 시작했다.

2000년초 국회 재정경제위원회 근무 당시 금융개혁 입법과 공적자금의 투입, 회수 및 상환에 대한 제도화를 통해 우리나라가 외환 위기를 극복하는 데 일조한 것으로 알려졌다.

이때 쌓은 금융 및 재정 전문성을 살려 국회 정무위 전문위원(공정위 등), 국회 예결산특위 전문위원(정부 예결산), 국회 기획재정위 전문위원(조세 재정), 국회 특위 수석전문위원을 거쳤다.

이 과정에서 예산, 재정, 경제 전문가로서의 입지를 다진 것으로 보인다.

박 상임이사는 예금자 보호와 금융 및 경제 안정화 등을 주된 업무로 하는 예금보험공사에서도 그동안의 전문성과 경력을 십분 발휘할 것으로 기대된다.

2021년 3월 2일 보도 참고 자료

03

재정금융계를 떠나 다시 설악권 민생현장으로

박상진 예금보험공사 상임이사가 22년 9월30일 마지막 근무를 하고 퇴직한다. 임기는 내년 3월이지만 여러 가지 일신상의 이유로 중도에 사직하는 것이다.

그는 퇴임사에서 "2002년 국회 재정경제위에서 공적자금 투입과 관련된 예금자 보호법 개정에 참여한 입법조사관으로서 예금자 보호의 파수꾼으로서의 예보의 기능과 역할을 제대로 확인하는 소중한 기회를 가졌다"라고 하면서 "예보 임직원과 가족같이 지냈던 1년 6개월은 직장생활 중 가장 행복했던 시절로 기억될 것이다"라고 아쉬운 소감을 밝혔다.

그러면서 그는 "예보의 대내외적인 여건이 어려운 상황 속에서도 임직원이 한마음으로 난관을 헤쳐 나가길 바란다"라면서 "예보가 IMF 외환 위기 당시 2002년 법 개정 취지대로 통합예금 보험 기구로서의 역할과 위상을 지속적으로 강화하여 예금자 등 금융 소비자 보호와 금융안전망의 안정적 유지에 지금처럼 최선의 역할을 다할 것이라 확신한다"라고 말했다.

그는 "이를 위해서는 보험사고 사전 예방 시스템 정비 및 강화, 금융 소비자 보호를 위한 역할 제고, 예방적 조치로서 금융안정 계정 신설, 효율적인 공적자금 회수 역할체계 정립, 조합 등 비부보 금융기관의 예보 보호 통합 검토 등 공적자금 투입 전 예방 및 사전 조치, 투입, 회수 등의 싸이클이 잘 돌아가게 하는 제도적 개선 방안을 지속적으로 강구해야 할 것이다"라고 주장했다.

22년 9월 30일 보도참고자료

04

잘 있던 생이빨을 빼다 : 예금보험공사 상임이사 이임

존경하는 예보 가족 여러분

안녕하세요. 박상진 이사입니다.

저는 9월 30일 마지막 근무를 하고 이임합니다. 임기는 내년 3월이지만 여러 가지 일신상의 이유로 중도에 이임하게 되었습니다.

깊은 고민과 번민 속에서 중도에 이임하게 되어 무거운 책임감을 느낍니다. 더 좋은 직장, 더 혜택이 많은 직업을 선택해 가는 것이 아니라 또 다른 봉사와 헌신의 험난한 길을 선택한 것으로 혜량해 주시면 감사하겠습니다.

공직의 막중함과 임직원님들의 기대를 감안할 때 죄송한 마음 금할 길 없습니다. 다시 한번 깊은 이해를 바랍니다.

저는 2002년 국회 재정경제위에서 공적자금 투입과 관련된 예금자 보호법 개정에 입법조사관으로 참여한 적이 있는데, 짧은 예보 근무 기간 동안 예금자 보호의 파수꾼으로서의 예보의 기능과 역할을 제대로 확인하는 소중한 기회를 가졌습니다.

2002년 소중하게 맺은 인연에 다시 한번 감사하게 되는 기간이었습니다.

부장님, 팀장님 그리고 직원 여러분들의 배려와 지원 덕분에 감사한 날들을 보냈습니다. 예보 임직원님들과 가족같이 지냈던 1년 7개월은 평생의 직장생활 중 가장 행복했던 시절로 기억될 것입니다. 가족같이 예보에 힘이 되고 서로에게 도움이 되고자 노력했습니다. 제가 부족했지만 성심성의껏 지원해 주셨습니다. 진심으로 감사의 말씀을 드립니다. 앞으로도 예보 임직원 여러분께서 힘을 주시면 감사하겠습니다.

예보의 대내외적인 여건이 어려운 상황 속에서 제가 이임하게 되어 한없는 부담감을 가지지만 임직원 모두 한 마음으로 어떠한 난관도 잘 헤쳐 나갈 것이라 믿습니다.

예보가 IMF 외환 위기 당시 2002년 법 개정 취지대로 통합예금 보험 기구로서의 역할과 위상을 지속적으로 강화하여 예금자 등 금융 소비자 보호와 금융안전망의 결정적 유지에 지금처럼 최고의 역량을 발휘할 것이라 확신합니다.

제 개인 생각으로는 입법사항으로서 보험사고 사전 예방 시스템 정비 및 강화, 금융 소비자 보호를 위한 역할 제고, 예방적 조치로서 금융안정 계정 신설, 효율적인 공적자금 회수 역할체계 정립, 조합 등 비부보 금융기관의 예보 보호 통합 검토 등이 필요하다고 봅니다. 공적자금의 투입 전 예방 및 사전 조치, 투입, 회수 등의 싸이클이 잘 돌아가게 하는 제도적 개선 방안을 지속적으로 추진하는 것은 바람직한 방향이라 생각합니다.

비록 예보를 떠나지만 응원하고 지지하겠습니다. 조그마한 힘이라도 보태겠습니다. 불꽃처럼 왔다가 불꽃처럼 떠납니다. 소중한 인연을 맺은 예보 가족 여러분! 인연의 연결 고리처럼 또 만날 것을 진심으로 소망합니다.

항상 건승하시고 행복한 나날들이 늘 함께하시길 진심으로 기원합니다.

22년 9월 30일

05

세금은 국민을 위해서만 결정되어야 한다

2018년 12월 8일(토) 새벽에 「종합부동산세법」, 「조세특례제한법」, 「부가가치세법」 등 총 21건의 세법 개정안이 국회 기획재정위원회의 의결을 거쳐 본회의에서 최종 의결되었다.

이 21건의 세법 개정안은 575건에 상당하는 세법 개정안에 대한 국회 기획재정위 조세심사소위의 치열한 심사 과정을 거쳐 대안의 형식으로 탄생된 것이다. 세법 개정안은 세법의 기본특성상 국민에게 세금을 부과하거나 감면 또는 비과세하는 기능을 수행한다. 정부의 재정지출은 조세 수입으로부터 나오고 조세 수입은 세법 개정을 통해 이루어지며, 세법 개정은 조세 정책적 기능을 수행한다.

이 조세정책은 크게 조세 수입 확보, 자원의 효율적인 분배, 소득의 재분배, 경제 안정화 기능을 목표로 한다. 그리고 이러한 목표를 위한 기본적인 세법 개정의 논거로 는 조세부담의 효율화, 세입 기반 확충, 분배의 공평성, 조세 행정의 내실화 등이 주로 거론된다.

그렇다면 2018년 세법 개정안에 의한 세금은 어떠한 내용으로 무엇을 위해 결정되었는가. 이 화두는 국민의 알권리 차원에서 뿐만 아니라 국민의 경제적인 실질적인 체감의 강도와 직접적으로 연관되어 있다는 측면에서 면밀한 관심이 필요하다.

세금의 결정은 국회의 입법 절차와 세법 개정의 입법 논거를 토대로 결정되고, 두 가지는 상호 작용하면서 변화를 거듭하게 된다. 세금을 더 내게 하려는 입장, 세금을 덜 내려는 입장, 세금을 내지 않으려는 입장이 각각의 입법 논거를 통해 상호충돌·대립 과 공방의 과정을 거쳐 합의의 기나긴 터널을 거치게 된다. 여기에선 2018년 세법 개정안이 어떠한 내용과 정책목표를 담고 있는지와 향후 과제는 무엇인지 살펴보기로 한다.

큰 방향에서 2018년 세법 개정안에는 부동산 시장 및 서민 주거의 안정을 도모하기 위한 대안을 마련하고, 점점 더 어려워지고 있는 서민과 중소기업, 자영업자 등 민생경제를 지원하고, 민간의 고용과 투자를 촉진하여 경제의 활력을 제고하며, 빈부격차 확대, 미세먼지 등 환경문제와 같은 당면한 사회문제를 해소하기 위한 국회의 정책적 고민이 깊게 투영되어 있다.

06

임대주택 정책의 신뢰 제고 및 주택시장 안정 대책과 향후 과제

2018년 세법 개정안은 다음과 같은 취지로 통과되었다.

먼저, 국회를 통과한 부동산 관련 세법 개정안은 기존의 임대주택 등록 활성화 정책 (2018.12.13. 발표)과 조정 지역 내 양도세를 중과하는 주택시장 안정화 대책 (2017.8.2.), 주택가격 급등에 따른 조정 지역 내 임대주택에 대한 양도세 중과를 재도입하는 9.13 주택시장 안정 대책(2018.9.13. 발표) 간의 정책목표 구현과 상호충돌을 국회의 '합의의 기술'을 통해 마련한 정책조합이다.

우선, 분리과세 주택 임대소득에 대한 필요경비율은 현행 등록 및 미등록사업자 60%에서 등록사업자 60%, 미등록사업자 50%로, 기본공제는 현행 등록 및 미등록사업자 400만원에서 등록사업자 400만원, 미등록사업자 200만원으로 조정하였다.

둘째, 장기일반민간임대주택 등에 대한 공제율에 대해서는 급등하는 주택시장의 안정을 위해 이를 폐지하거나 대폭 축소하자는 강력한 의견이 개진되었으나, 임대주택시장의 신뢰 등을 위해 8년 이상 임대 후 양도하는 경우 50%의 장기보유 공제율을 적용하고, 10년 이상 임대 후 양도하는 경우 70%의 공제율 현행을 유지하기로 결정하였다.

셋째, 주택분 종합부동산세에 대한 과세표준 구간(3억원 이하)를 신설하고, 기본적인 세율을 인상(0.5%~2.7%)하되, 3주택 이상과 조정대상지역 2주택을 소유한 경우에는 중과세율을 적용(0.6%~3.2%)하여 보유세를 강화하도록 하였으나, 1세대 1주택에 대한 세 부담 완화를 위해 장기보유 세액공제율의 상한 구간(15년 이상, 50%)을 신설하되 연령 공제와 합하여 공제율이 70%를 넘지 못하도록 하는 한편, 3주택 이상과 조정대상지역 2주택 보유자의 종부세 부담 상한의 경우 개정안은 현행 150%에서 이를 각각 300%로 상향하고 있었으나 최종 대안은 조정대상지역 2주택 보유자의 세 부담 상한은 이를 완화하여 200%로만 상향하였다.

넷째, 공시가격 합계액 6억원 이하인 수도권 조정대상지역 2주택 중 1주택을 양도하고 2020년까지 농어촌주택 등을 취득하는 경우에는 양도세 중과 규정을 완화 적용하고, 조정대상지역으로 공고되기 이전에 주택의 입주자로 선정된 지위를 양도하는 매매계약을 체결하고 계약금을 지급받은 경우에는 50%의 양도세율이 적용되지 않도록 하여 신뢰를 보호하였다.

다만, 이러한 부동산 세제개편과 관련하여서는 임대주택에 대한 세제 혜택 및 양도소득세 중과 재도입, 조정 대상 지역 내의 양도세 중과 및 완화, 종부세율 인상 등이 주택시장 안정 등의 조세정책 목표와 어떠한 연관성과 회귀적인 효과가 있는지를 단기, 중기 및 장기적으로 면밀히 살펴 이를 입법 피드백하는 정책평가 구조를 만들어야 한다.

07
근로장려금과 민생경제 지원 강화와 향후 과제

2018년 소득세법 등 개정에서는 근로장려금 지급 규모를 대폭 확대하고, 청년 고용 문제 완화 및 자영업자 등 민생경제의 어려움 해소에 초점을 둔 세제지원 방안이 다음과 같이 마련되었다.

첫째, 최근 가계소득 정체, 고용 여건 악화 등으로 어려움이 가중되고 있는 저소득가구의 소득지원 강화 및 근로유인 제고를 위하여 근로장려세제를 전면적으로 확대 개편하였다.

이 개정으로 근로장려금 수혜 가구는 현행 166만 가구에서 334만 가구로 2배 가량 늘어나고, 근로장려금 총 지급 규모는 현행 연 1.2조원에서 3.8조원으로 3배 이상 증가하게 될 것으로 전망된다.

둘째, 부가가치세 납부 의무를 면제받는 간이과세자의 연매출 기준금액을 2,400만원에서 3,000만원으로 상향 조정하여, 경영여건 악화로 경제적 어려움에 처한 더 많은 간이과세자들이 납부 의무를 면제받을 수 있도록 하였다.

셋째, 심각한 고용 위기 상황의 극복을 세제 측면에서 적극적으로 지원하기 위하여 고용을 늘린 기업에 대한 세액공제 기간을 중소중견기업은 2년에서 3년으로, 그 밖의 기업은 1년에서 2년으로 각각 연장하고, 청년 등 상시근로자 증가 인원 1명당 공제액을 현행보다 100만원씩 인상하였다.

넷째, 농협 및 신협 등 조합원에 대한 비과세 2년 연장, 신용카드 공제 1년연 장 등을 통한 금융 취약계층과 일반 국민에 대한 세제지원을 지속되도록 하였다.

소득세제 등의 개정과 관련하여서는 근로장려세제의 실효성을 제고하기 위한 고임금자의 수급 방지 대책을 마련하고 자격이 있음에도 수급하지 못하는 사각지대가 발생하지 않도록 세심한 집행이 필요하다.

또한, 농협, 축협, 수협 및 신협 등에 대한 비과세 연장은 향후 일몰 도래 시에 맞추어 상호금융기관의 중장기적 재무구조 및 수입구조 개선을 위한 ISA와 같은 비과세 상품 등 판매허용 상품 범위 확대, 영업 구역 확대, 동일인 대출한도 확대 등 재무구조 개선을 위한 정책적·제도적 개선 방안이 함께 검토될 필요가 있다.

그리고 신용카드 공제연장은 신용카드 소득공제의 필요성과 효과성 및 공제제도의 향후 운용계획 등에 대한 종합적인 방향의 설정이 선행적으로 이루어져야 할 것이다.

08

경제활력 제고를 위한 세제지원 확대와 향후 과제

2018년 법인세법 등 개정에서는 혁신성장 및 4차 산업혁명을 대비한 민간투자 등을 촉진하여 우리 경제의 역동성을 제고하고 지속적인 성장 기반을 마련한 세제지원 방안과 기업경영의 애로를 지원하기 위한 방안도 다수 포함되었다.

첫째, 중소기업의 설비투자가 부진하고, 투자 리스크가 큰 혁신성장 분야에 대한 기업들의 투자가 활발하지 않은 상황을 타개하기 위하여, 2018년 7월 1일부터 2019년 12월 31일까지 취득한 사업용자산 또는 혁신성장 투자자산에 대하여 가속상각을 허용하여 기업들의 투자에 따른 부담을 완화하였다.

둘째, 지역의 주력산업의 침체로 인하여 어려움을 겪고 있는 산업위기대응특별지역 등 위기 지역에 대한 신규 투자를 지원하기 위하여 중소기업 및 중견기업이 위기 지역에서 투자하는 경우 세액공제율을 인상하고, 위기 지역에서 창업하거나 사업장을 신설하는 경우 5년간 100%를 세액 감면하는 제도를 신설하였다.

셋째, 해외 진출기업이 우리나라로 복귀하여 투자하고 일자리를 창출할 수 있는 여건을 조성하기 위하여, 국외 사업장을 부분 축소 또는 유지하면서 국내로 복귀(부분복귀)하는 기업에 대한 세액감면의 대상을 중소중견기업에서 대기업까지 확대하였다.

넷째, 내국법인이 4차 산업혁명의 중요 기반 시설이라고 할 수 있는 5세대 이동통신 기지국에 투자하는 경우 최대 3%를 세액 공제하는 제도를 신설하면서, 지방에 대한 투자를 보다 촉진하기 위하여 수도권 과밀억제권역 외에 투자하는 경우로 세액공제의 범위를 한정하였다. 그러나 법인세 등 세제지원을 통한 기업지원을 강화하기 위해서는 다음과 같은 조세 정책적인 검토가 추가적으로 필요하다.

우선, 위기 지역 창업기업에 대한 세제 혜택, 환경 보전 시설 등에 대한 세액공제율 상향 등에 대해서는 입법 영향 평가를 통한 정책 효과성을 검증하는 한편, 경제 상황이 전반적으로 어렵다는 점을 감안하여 위기 지역 이외의 지방 경제 활성화를 위한 세제 지원 등의 정책 방안의 마련이 필요하다.

그리고, 중소기업의 경영승계를 지원하는 가업상속공제제도는 기업에 대한 특혜라는 입장과 중소기업의 원활한 승계라는 입장이 대립되어 왔는데 과세 형평성을 도모하면서도 국제적인 산업 경쟁력을 제고하고 일자리가 창출되는 방향으로 종합적인 개선 방안을 적극적으로 마련해야 할 것이다.

한편, 중소기업 이외 기업의 항공기 부분품 등에 대한 관세감면 적용 기한 연장은 정부 부처 간 입장 차이로 인하여 국제협정 가입이 이루어지지 않아 이루어진 입법이므로 대상 품목의 적절성과 감면 효과 등을 국제경쟁력 강화 측면에서 면밀하게 모니터링해야 할 것이다.

09

재정 분권 및 국민 편익 증진을 위한 규제
혁파와 세법 체계 정상화 과제

2018년 마지막으로 부가가치세법 등 개정에서는 부가가치 세액의 지방소비세 전환비율이 현행 11%에서 15%로 상향되고, 입국장 면세점이 논의를 시작한 지 수십년 만에 도입되었으며, 맥주의 주세 체계를 종가세에서 종량세로 전환하는 논의, 적극적인 기부금 모집이 가능한 고향 기부금제도 도입을 통한 고향 기부세 신설논의 등 사회적 변환에 대응한 세제개편 논의가 있었다.

이에 대해서는 향후 지방소비세 추가 전환에 따른 국세 세입 결손에 대한 대응과 이 개정을 통한 재정분권 강화 및 지방세 세수 신장성 효과에 대한 입법영향 평가가 필요하다. 또한 「주세법」에 대해서 정부는 2019년 4월까지 맥주를 포함하여 전체 주류의 종량세 전환 방안을 마련하고, 고향 기부세 도입을 위한 세제개편의 적극적이고 전향적인 검토와 입법 논거의 개발이 필요하다.

그리고 입국장 면세점 도입의 국민 편익 효과를 평가하고, 입법 실효성을 담보하기 위한 면세 한도 및 구입 한도의 적정성을 면밀히 검토하는 한편, 고용승계 등을 위해 도입하는 면세점 특허 갱신의 입법취지를 구현하기 위한 후속 조치를 마련해야 한다.

10

관치금융을 넘어서는 국민금융 시대를!

관치금융은 '정부가 금융시장의 인사와 자금 배분에 직접 개입하는 금융 형태'라고 정의되고 있습니다. 이러한 최근의 관치금융 논란은 세 가지로 나타나고 있습니다. 금감원과 금융위가 대출금리, 예금금리에 관여하는 것, 국민연금 최고경영진들이 KT, 포스코 등 소유분산 기업(주인 없는 대기업) 최고경영자에 대한 공개적인 인사 개입하는 것, 우리금융 지주 회장에 대해 징계(손태승 회장)를 내리고 연임 도전을 좌절시키고 금융관료 등이 후보(임종룡 전 금융위원장)로 나서는 것 등입니다.

관치금융은 공공성 강화(금융 취약층 보호), 투명성 확보(스튜어드코드쉽 강화 : 기관투자자의 투자 책임 원칙), 도덕적 해이 방지(금융 모피아 셀프 연임 방지) 등의 명분으로 이루어지는데, 오히려 공공성 약화와 시장 왜곡 등 초래, 기업에 대한 직접 인사 개입, 금융관료 챙기기 등의 비판에 직면하고 있습니다. 법과 제도에 따라 이루어져야 하는 감독의 명분 하에 사람(금융당국)에 의해 과도하게 이루어질 수 있어 금융소비자에게 피해를 주고, 금융과 기업 경쟁력을 약화시킬 수 있는 측면이 있어 문제가 되고 있습니다.

2023년 2월 13일

박상진이 걸어온 길

■ 학력
- 강원 고성 천진초 및 속초중고 졸
- 단국대 행정학사 및 서울시립대 법학사
- 서울대 환경대학원 도시계획학 석사
- 미국 인디애나로스쿨(블루밍턴) 법학 석사(LL.M.)
- 미국 뉴욕주립대(알바니) 경제학 석사
- 단국대 도시 및 지역계획학 박사
- 서울대 중국최고위과정 수료
- 고려대 최고위정책과정 수료

■ 국회 과거 경력
- 제13회 입법고시 합격(5급 행정사무관)
- 국회 재정경제위원회 입법조사관(금융·공적자금 총괄, 재경부·관세청 등 소관)
- 법제처 파견관(건설교통법제관실)
- 국회 안정행정위원회 입법조사관(안전행정부, 경찰청 등 소관)
- 국회 지방자치발전특별위원회 입법조사관(지방자치제도 개선 등 소관)
- 국회사무처 국제국 국제협력과장·의전과장·의회외교정책과장(외국의회·정부 등과의 의회 외교 총괄)
- 국회사무처 의사국 의안과장(법안, 예산안, 인사청문요청안 등 의안 총괄관리)
- 국회예산정책처 행정사업평가팀장(행정자치부 등 국가예산사업 평가 등 소관)
- 외교부 주중한국대사관 공사참사관(중국 전인대·공산당 등과의 의회교류 소관)
- 국회 운영위원회 입법심의관(국회운영 등 소관)
- 국회 정무위원회 전문위원(2급, 공정거래위·국민권익위 등 소관)
- 국회 예산결산특별위원회 전문위원(2급, 53개 중앙 부처 및 공공 기관 예결산 총괄)
- 국회 고성연수원 개원T/F 위원(국회 고성연수원 개원 준바운영 방향 등 소관)

- 국회 기획재정위원회 전문위원(2급, 세법·세입예산 및 기재부·국세청·관세청·조달청·통계청 소관 등)
- 국회 특별위원회 수석전문위원(차관보급, 공공부문 채용 비리 의혹과 관련된 국정조사특별위원회 소관)

■ 더불어민주당 경력
- 더불어민주당 속초인제고성양양 지역위원장 (현)
- 더불어민주당 중앙당 부대변인 (현)
- 더불어민주당 후쿠시마원전오염수 해양투기저지 총괄대책위원회 위원 (현)
- 더불어민주당 강원특별자치도당 강원해파랑연구소 부소장 (현)
- 20년 총선 국회의원 예비후보
- 20년 총선 강원도 선대위 부위원장
- 20년 총선 속인고양 상임 공동선대위원장
- 22년 대선 균형발전위 공동위원장, 혁신적재정금융입법특보단장, 강원도특보단장, 평화협력위 강원도공동위원장, 설악광역권발전특위위원장 등
- 22년 강원도지사 후보 공동정책자문단장, 강원도지사 후보 영동설악권 특보단장

■ 사회경력
- 예금보험공사 상임이사 (전)
- 국회의정연수원 겸임교수 (전)
- 서울대 통일평화연구원 객원연구원 (전)
- 민주평통 상임위원 (전)
- 국세청 적극행정위원회 위원 (전)
- LH 적극행정위원회 위원 (전)
- 남북강원도협력협회 이사
- 서울대학교총동창회 이사
- 한중문화협회 이사

- 국회 한중미래발전연구회 회장 (전)
- 한국문인협회 회원
- 대한건축학회 회원
- 한국헌법학회 부회장(전)
- 국무총리실 소속 경제·인문사회연구회 국가정책연구 실적 평가위원(전)

■ 지역사회 경력
- 재경속초고등학교총동문회 부회장(전)
- 재경속초시민회 부회장
- 청소년적성찾기국민운동실천본부영북지회 공동회장(전)
- 재경속초고동문산악회장
- 국회 태백회 회장(전) *국회내 강원도 출신 공직자 모임
- 영북설악금강포럼 회장(전)

■ 상훈 등
- 2000.12 국무총리표창
- 2003.01 재정경제부장관 표창
- 2007.01 국회의장 표창
- 2013.12 외교부장관 표창(주중한국대사관 근무 중 주중대사 대리 수여)
- 2017.03 재경속초고동문산악회 회원일동 감사패(산악회 발전 및 소통에 기여)
- 2017.10 강원도 고성군수 감사패(국회고성연수원 개원 및 진입도로 개설 협조 감사)
- 2017.12 생활문학회 시 부문 신인상 수상(시인등단)
- 2017.12 자랑스러운 속고인상 수상(재경속초고등학교동문회장 수여)
- 2018.01 국회고성연수원장 감사패(연수원 유치 성공적인 개원 협조 감사)
- 2018.01 자랑스러운 강원공직자 유공 감사패(강원도민일보 수여)
- 2019.01 최문순 강원도지사 감사패(속초시민부회장으로서 시민회 발전에 기여)

■ 주요저서 및 논문

- 《부동산 공법》 (부연사, 2001, 공저)
- 《지역계획론》 (보성각, 2009, 공저)
- 《나의 고향 그리고 우리들의 산행과 동행》 (좋은땅, 2017, 공저)
- 《젊은 날의 열정과 다짐》 (좋은땅, 2018)
- 《세금, 어떻게 결정되는가》 (북갤러리, 2018)
- 『장기주택 저당 채권 유동화 제도에 관한 연구』, 단국대 박사학위 논문, 2005.
- 『부동산 간접 투자 상품시장 활성화 및 경제적 파급효과 연구(국토연구원 연구 참여)』
- 『강원도 지역개발계획 수립(국토연구원 연구 참여)』 등 다수

▣ 입법기여 및 연구참여 실적
- 한국도시지역정책학회 회원 및 편집위원, 한국토지공법학회 회원 등
- 박상진, 「국립공원 관리상의 주요쟁점과 정책과제」, 국회사무처 법제예산실, 예산정책 Issue-Brief 제97-09호(통권 제31호), 1997. 6.
- 국토 이용관리 체계 개편 작업(국토이용관리법 시행령 및 도시계획법, 도시개발법 등 재개정 심사) 참여, 건설교통부·법제처, 2000. 9.
- 박상진, 「수도권 난개발 방지를 위한 입법적 검토」, 국회사무처 법제실, 법제현안 제 2000-10호(통권 제106호), 2000.
- 최돈웅 의원 발의 관광 특구법 등 지역 개발 관련 법안 입안 등 참여, 국회사무처 법제실, 2001.
- 박상진, 「금융감독체계의 효율화 방안에 관한 연구」, 국회 재정경제위원회 정책자료집, 2001. 9.
- 박상진, "지역 균형 발전법의 제정 방향에 관한 연구", 국회 재정경제위원회 정책자료집, 2002. 12.
- 지역균형발전법·경제자유구역법·지역특화특구법 등 재개정 참여, 재정경제위원회, 2003.
- IMF 외환 위기 관련 금융 관련법 및 공적자금 관련법 재개정 참여, 재정경제위원회, 2003.
- 석종현·박상진외, 「부동산공법」, 부연사, 2001. 4.
- 박상진, "한국주택금융공사 주택 정당 채권 유동화 제도의 도입에 관한 연구", 국회 재정경제 위원회 정책자료집, 2004. 4.
- 박상진, 「장기 주택 저당 채권 유동화 제도에 관한 연구 -유용성 및 효과의 예측을 중심으

로」, 단국대 박사학위 논문, 2005. 2.

- 박상진, "장기 주택 저당 채권 유동화 제도", 한국도시지역정책학회, 제3권제1호, 2008. 12.
- 「결혼 이민자 관련 사업 평가」 총괄기획, 국회예산정책처, 2009. 11.
- 「U-korea 선도 사업 평가」 총괄기획, 국회예산정책처, 2009. 9.
- 「지방도로 구조 개선 사업 평가」 총괄기획, 국회예산처, 2009. 11.
- 「정부 규제 영향분석서 평가」 총괄기획, 국회예산처, 2009. 12.
- 박상진외, "위험도로 구조 개선 사업에 대한 성과 중심의 평가", 한국도시지역정책학회, 제4권 제1호, 2009. 12.
- 박상진외, 「부동산 간접 투자 상품시장 활성화 및 경제적 파급효과 연구」, 국토연구원, 2015.12
- 박상진외, 「강원도 지역개발계획」, 국토연구원, 2016.8.
- 박상진외, 「나의 고향 그리고 우리들의 산행과 동행」, 좋은땅, 2017.1
- 박상진, 「젊은 날의 열정과 다짐」 (좋은땅, 2018)
- 박상진 편저, 「세금, 어떻게 결정되는가」 (북갤러리, 2018)

설악권 100년 미래, 박상진이 함께 만들어 갑니다

이제는, 박상진입니다

초판1쇄 인쇄 - 2023년 12월 일
초판1쇄 발행 - 2023년 12월 일
지은이 - 박상진
펴낸이 - 이영섭
펴낸곳 - 인피니티컨설팅
서울 용산구 한강로2가 용성비즈텔. 1702호
전화 070-5168-2024 / 팩스 050-7534-5220
e-mail - bangkok3@naver.com
등록번호 - 제2020-000047호

잘못된 책은 바꾸어 드립니다.
무단 복제를 금합니다.
 9791193126165
 ISBN 979-11-93126-16-5[03340]

 값 23,000